D0853078

TRAITRE EST L'AMOUR

traître est l'amour

Marie-Louise Assada

traître est l'amour

roman

CHAPITRE PREMIER

Paris, le 15 janvier

J'ai fermé à clef la porte de ma chambre et, si l'on frappe, je ne répondrai pas. Je ne veux pas être dérangée alors que je commence le journal que j'ai décidé de tenir, peut-être pour tenter de remédier à la solitude morale où je m'enfonce de plus en plus. Qui s'y hasarderait d'ailleurs ? Papa ne se risque plus guère chez moi depuis qu'entre nous s'est creusé un fossé qui s'approfondit tous les jours. Sans doute en souffre-t-il, car je sais qu'il m'aime. Evidemment, je l'aime aussi. Du moins, je m'oblige à l'écrire car, si je veux être tout à fait sincère, une voix au fond de moi me contraint à convenir que ce n'est plus tout à fait vrai ; qu'à des moments, hélas, trop fréquents, où ma douleur de la mort de maman atteint au paroxysme, je ne peux même plus supporter sa vue.

Cela fait exactement trois ans quatre mois et dix-sept jours que l'horrible chose est arrivée. Et, depuis, je ne cesse de me redire que, si papa ne s'était pas mis en retard ; que, s'il était allé moins vite, la catastrophe ne se serait pas produite. Il faut bien croire que je n'ai pas tort de le penser puisque le tribunal lui a attribué un tiers de responsabilité dans l'accident. Comment, dès lors, pourrais-je être avec lui comme j'étais auparavant quand nous étions tous les trois si heureux, si unis ? C'est impossible.

Avec lui, je ne peux plus que me taire si je ne veux pas prononcer des mots atroces qui nous tortureraient tous les deux et nous sépareraient encore davantage. Mais, souvent, j'ai l'impression d'étouffer.

Personne à qui me confier vraiment. Un peu à Kikou, l'étudiante nippone dont j'ai fait la connaissance aux Langues orientales puisque j'ai entrepris d'apprendre le japonais, Dieu sait pourquoi, par désœuvrement sans doute. Mais, de toute façon, notre intimité ne pourra être que brève puisque Kikou n'est pas destinée à rester à Paris. Un peu aussi à mon vieux Guerrand, mon meilleur camarade, de son vrai nom Enguerrand de Coucy, qui est encore plus désaxé que moi et dont je dois, au contraire, m'efforcer de remonter le moral. En dehors d'eux, personne !

Je reconnais que la faute est en partie mienne. J'ai semé toutes mes prétendues amies. Elles m'ont d'abord horripilée avec leurs consolations de commande, puis, ensuite, avec un illogisme dont je conviens, je leur en ai voulu de les avoir cessées. Mais que me disaient-elles ? Je crois les entendre : « Sûrement, c'est bien triste que Géraldine ait perdu sa mère. Mais tout de même, elle exagère... Depuis plus de trois ans ! D'ailleurs, ça ne l'empêche pas tellement de s'amuser... » Ici, un petit rire sournois, chargé d'envie et de sous-entendus, qui achève de mettre leurs consciences en repos. Et voilà la page tournée, le tribut qu'elles estiment dû à ma peine, payé ! Au fond, elles m'en ont toujours voulu d'avoir plus de succès qu'elles auprès des garçons.

C'est vrai que j'en ai souvent plusieurs autour de moi, que ce soit à la Sorbonne ou ailleurs. Pourtant, je ne me mets pas en frais pour eux. Peut-être est-ce là l'explication de leur empressement et aussi, bien sûr, le fait que je ne suis pas mal tournée ; que mes yeux, tantôt verts, tantôt bleus, sont bien « parlants » à ce qu'on prétend et que mes jambes sont agréablement galbées.

Je les accepte dans les cas noirs comme un anesthésique. La rencontre d'une camarade avec sa mère ; un regard sur un objet que maman a touché ; un soupçon de gaieté peut-être imaginaire, dans une phrase anodine de papa — preuve qu'il arriverait à oublier ! — réveillent d'un bref engourdissement la souffrance de cette plaie qui refuse de se cicatriser. La compagnie de garçons chahuteurs, voire entreprenants, est alors parfois un dérivatif à l'obsession.

A côté de Guerrand que je mets à part, les autres : Jean-Marc, Hervé, Guy-Luc, Michaël, c'est du tout-venant relativement sympa, souvent vulgaire, sans particularités bien définies. Enfin, quels qu'ils soient, ces copains me sont un vague secours bien que leur langage, leurs manières m'écœurent souvent. Je n'en témoigne rien, les encouragerais même plutôt, ne voulant pas passer pour ridiculement attardée. D'une certaine façon, je dois l'être. « Chère petite rêveuse ! » me disait maman. Mais rêver n'apporte pas de réconfort à un cœur submergé de tristesse ! On bêtifie, on boit, on fume, on se désarticule en mesure sur des rythmes pop'. Je rentre à la maison à une heure absurde, courbatue, la tête vide, l'estomac barbouillé et l'âme lourde. Mais j'ai gagné quelques heures d'oubli !

⁂

Je sais que papa désapprouve ces sorties, et même qu'elles le chagrinent quoiqu'il feigne de les ignorer. Je crois qu'il a peur de ma réaction s'il me les interdisait. La manière dont je porte ma peine le déroute d'autant plus qu'il ne soupçonne pas les arrière-pensées dont elle s'aggrave. Il n'y voit que les conséquences d'un choc moral dont je suis lente à me remettre, ce qui l'incite à fermer les yeux. Pour lui, je porte l'étiquette : « Fragile, à manipuler avec précaution. » Quelque chose comme un Sèvres ou un cocktail Molotov.

En somme, il ne sait comment s'y prendre avec moi. A certains jours, quand j'arrive à m'évader de ma torturante idée fixe, je m'accable de reproches, je me promets de changer d'attitude. Puis, de nouveau, je pense à maman, à cet accident dont il a été en partie cause et mon ressentiment renaît plus fort que jamais. Loin d'être touchée de sa faiblesse, je lui en veux.

Peut-être aimerais-je mieux qu'il me reproche mes incartades ; qu'il me gronde sérieusement. Je me mettrais en colère. Je lui dirais tout ce que j'ai sur le cœur. Peut-être irais-je jusqu'à le traiter d'assassin, à moins que je me mette à sangloter dans ses bras, ce que je n'ai pas pu faire lorsqu'il est revenu presque indemne de l'accident, ni le jour de l'enterrement.

Nous nous embrasserions avec la tendresse de deux pauvres êtres déboussolés qui ont perdu le soleil de leur vie et qui se raccrochent l'un à l'autre dans l'obscurité qui les affole. Rien que d'y penser, la gorge me pique. Oh ! papa, papa ! Ce serait si bon ! Bon et déchirant... Peut-être réconfortant tout de même... Pourquoi n'y suis-je jamais arrivée... ?

Ce n'a pas été de sa faute. Il a essayé, c'est une justice à lui rendre. Je suis demeurée de marbre. J'étais figée dans mon désespoir, raidie dans les reproches que je lui adressais intérieurement. Je le suis toujours restée. Sans doute ai-je tort... Tort aussi de lui en vouloir d'avoir repris une existence en apparence normale... Si je savais ce qu'il pense... Peut-être se consume-t-il intérieurement, comme moi, de regrets auxquels, pour lui, s'ajouteraient des remords... Mais j'en doute malgré mes efforts pour me persuader du contraire. Ce m'est une raison de plus de m'enfoncer dans ma tristesse comme si je redoutais d'être seule à l'assumer.

18 janvier

J'ai abandonné pendant trois jours ce journal à peine commencé. Mes intuitions ne me trompaient pas. Papa va se remarier. C'est à peine si j'arrive à tracer ces mots tant mes doigts tremblent.

20 janvier

Encore deux jours passés sans rien écrire alors que je m'étais promis de le faire régulièrement. De plus en plus, j'ai l'impression que mon cœur va éclater. Je revis sans cesse cet entretien avec papa où il m'a fait part de ses intentions. Il était pâle, ému, il cherchait ses mots. Je l'ai écouté, muette, assommée par ce qu'il m'annonçait et à quoi j'étais si loin de m'attendre. Que son chagrin s'atténuât, oui, je le sentais, bien que j'eusse voulu parfois me persuader du contraire, mais de là à penser qu'il songeait à se remarier...

J'ai bien vu que mon silence le soulageait, car il devait appréhender ce que j'allais dire. Il a prononcé des paroles tendres qui ont résonné en moi à une profondeur abyssale, trop loin pour m'émouvoir. Mes oreilles étaient bouchées ; mon cœur, écrasé.

— Gégé, ma petite fille... Ne crois pas que j'oublie... Tu es encore trop jeune pour comprendre, ma chérie...

Trop jeune ! A dix-neuf ans passés !

— Ce n'est pas une vie que celle que nous menons... Ta mère elle-même eût souhaité qu'elle prît fin...

Comme c'est facile de faire dire aux morts ce qu'on veut !

— Pour toi aussi, ce sera mieux... Nous serons de nouveau deux à t'aimer, Gégé... Deux pour te choyer, te faire une existence plus agréable ! Celle que j'épouse ne t'est pas inconnue. Elle t'aime beaucoup : c'est en grande partie pour cela que je l'ai choisie.

— Qui ? ai-je demandé machinalement, sans curiosité, presque avec indifférence, sachant d'avance que je la haïrais, cette intruse.

— Ton amie Suzy.

Suzy ! L'abîme de stupeur dans lequel j'étais enfoncée, s'est encore approfondi. Le froid qui me gelait a augmenté. Suzy ! J'aurais énuméré cent noms avant d'arriver au sien.

Mon amie ? Allons donc ! Elle ne l'a certes jamais été. Je ne la détestais pas. J'avais pour elle une bonne tiédeur indifférente alors qu'elle me témoignait une affection à laquelle je n'ai jamais attaché de prix parce qu'elle en est prodigue. On la dit très bonne. C'est sans doute vrai, mais elle m'a toujours fait penser à ces chiens qui donnent la patte à tout le monde. Et puis, dix années nous séparent ! Pour moi, elle était vieille tandis que, pour papa, je la trouve scandaleusement jeune. C'est la fille d'une ancienne amie de maman, plutôt jolie, incontestablement distinguée, avec de grands yeux liquides de biche qui cherche à attendrir le chasseur. Est-ce avec leur regard qu'elle a séduit papa ?

Je n'ai rien répondu. Qu'aurais-je pu dire ? J'ai tourné les talons et suis allée me réfugier dans ma chambre comme une bête blessée court à son terrier. J'y ai sangloté pendant dix bonnes minutes, puis une idée folle m'est venue et je suis partie chez Suzy.

Elle a changé de visage quand elle m'a vue. Je m'étais aperçue au passage dans la glace de son vestibule et je m'étais presque fait peur : pâle, échevelée, les yeux gonflés de larmes. Naïvement, je m'en étais réjouie : « Puisqu'on la prétend si bonne, avais-je pensé, ma vue l'apitoiera. Elle comprendra qu'elle me piétine le cœur. Elle renoncera. »

Erreur ! D'emblée, les rôles ont été inversés. C'est elle qui a fait figure de suppliante.

— Gégé ! s'est-elle exclamée d'un ton implorant.

Ses mains qui sont étroites et blanches s'étaient jointes instinctivement. Mais j'étais trop bouleversée pour m'attendrir. La pitié que je croyais inspirer, comment l'aurais-je éprouvée ? Devant papa, je m'étais contenue mais, à présent, je ne pouvais plus...

— Suzy, ai-je dit plus durement que je n'aurais voulu, est-ce possible ce que papa vient de m'apprendre ? Suzy, dis-moi que ce n'est pas vrai, que tu ne t'es pas rendu compte, que tu vas revenir sur ta parole... Suzy, tu m'aimes, à ce que papa prétend... Alors, si tu veux que nous restions amies...

Elle a secoué la tête, tristement m'a-t-il semblé.

— Je ferai tout ce que je pourrai pour toi, Gégé, je te jure. Mais pas ça ! Oh ! ma chérie, je te supplie de ne pas m'en vouloir...

— Ne pas t'en vouloir... ? Alors que tu veux prendre la place de maman... ? Oh ! Suzy, ne peux-tu comprendre...

Sa voix a fléchi mais j'ai senti qu'elle demeurait inébranlable malgré toute sa douceur.

— Si, je te comprends et je te plains. Mais je te consolerai à force de tendresse, tu verras, Gégé.

La colère m'a gagnée. J'ai abandonné tout ménagement :

— Cela te va bien de parler de tendresse. Suzy, tu n'as pas honte... ? Alors que maman est tellement vivante encore dans mon cœur ; dans celui de papa peut-être aussi, qui sait... ? Pour moi, tu ne seras jamais sa femme, jamais ! Une intrigante qui se sera fait épouser, c'est tout.

Les mots dépassaient ma pensée. Je sentais que je franchissais les bornes, mais tant pis !

— Ta peine t'égare, Gégé. Je te demande seulement d'abord de me tolérer. Plus tard, quand l'apaisement se sera fait en toi, peut-être cesseras-tu de m'en vouloir.

— Quand tu l'auras épousé... ? Mais comprends donc que je te détesterai, que tu me feras le détester, lui, que nous aurons tous les trois une vie infernale.

Des larmes sont apparues au bord de ses longs cils.

— Je crois que je veux bien courir le risque, a-t-elle murmuré d'une voix de petite fille battue mais courageuse qui m'aurait attendrie sortant d'une autre bouche que de la sienne.

— Es-tu donc aveugle ? A ton âge, au sien ! Mais pourquoi lui, mon Dieu ? Qu'est-ce qui t'a prise alors qu'il n'en manque pas d'autres pour t'épouser si tu veux te marier ? Pourquoi mon père ?

Son regard, plein d'une détresse têtue, m'a suppliée. Plus que jamais, elle a fait ses yeux de biche. Ses lèvres tremblaient, mais les mots sont sortis, brûlants :

— Je l'aime, Gégé... Et lui... lui... je crois vraiment qu'il m'aime aussi.

L'aveu m'a clouée. Son accent vibrant de passion contenue mais tellement évidente, m'a déconcertée. Pas de doute, elle est éperdument amoureuse de papa alors qu'elle pourrait être sa fille, et ce doit être réciproque. Je sais bien que papa porte ses quarante-sept ans avec plus de véritable jeunesse que la plupart de mes camarades qui affectent des airs blasés et arborent à l'appui leur débraillé et leurs buissons de barbe. N'empêche qu'il est d'une autre génération alors que Suzy est, à peu de chose près, de la mienne...

Je me rappelle avec quelle adoration il contemplait maman. « Ta mère est inégalable », me répétait-il souvent. Trois ans auront suffi pour qu'il porte à une autre la même admiration. Est-ce donc cela, l'amour... ? Tellement éphémère... ? Le cœur qu'on croyait brisé bat de nouveau. Si c'est vraiment cela, plutôt ne jamais aimer. L'amour, je ne le conçois que défiant le temps, la mort. Je le veux tissé d'éternité. Aime-t-on donc moins sa femme qu'une fille n'aime sa mère ? Moi, je sais bien que je ne me consolerai jamais de la mort de maman.

Ma colère s'était éteinte. Il n'en restait que des cendres qui me brûlaient l'âme. Suzy s'était mise à pleurer silencieusement, la tête dans ses mains. Je voyais les larmes couler entre ses longs doigts minces. Je n'avais plus qu'à m'en aller.

— Adieu ! ai-je dit.

— Gégé, ne nous quittons pas ainsi, comme deux ennemies... Embrassons-nous. Je t'en prie, Gégé.

J'ai fait non de la tête. Il y avait eu un moment où j'aurais voulu la gifler. Maintenant, je n'en avais même plus envie. Mais un baiser, ç'eût été au-dessus de mes forces. J'ai saisi ma sacoche et je suis partie.

⁂

Ayant enfilé machinalement une rue, puis une autre, je me suis retrouvée tout à coup devant l'immeuble où habite Guerrand. Plutôt affronter son incompréhension un peu cynique que de rentrer à la maison tout de suite.

C'est très inhospitalier chez lui. Personne ne s'y préoccupe de rien et surtout pas de rendre l'appartement accueillant. Ses parents n'y sont pour ainsi dire jamais. L'employée de maison me connaît et m'a laissée me diriger seule vers la chambre de Guerrand. J'ai frappé à sa porte et je suis entrée.

Guerrand était assis sur son divan, prostré, la tête dans ses mains, les coudes aux genoux. En m'entendant, il s'est secoué, a levé sur moi ses yeux vert-bronze qui sont ce que j'aime le mieux dans sa physionomie. Pourtant, le reste est plutôt bien. Il a un long nez aristocratique et des traits réguliers. Néanmoins, il ne correspond pas tout à fait à mon type d'homme. C'est plutôt de le savoir malheureux qui m'attire vers lui. Aujourd'hui, l'expression amère, désabusée, qui lui est habituelle, était encore accentuée. Il n'avait certainement pas envie de me voir. Pourtant, je sais qu'il a pour moi toute l'amitié dont il est capable mais ça ne va vraisemblablement pas au-delà.

— Qu'est-ce que tu viens faire ? Que veux-tu ?

— Guerrand, je suis malheureuse.

— Tu n'es pas la seule, a-t-il ronchonné. Alors, qu'est-ce qui ne va pas ?

— Mon père va se remarier, Guerrand.

— C'est tout ?

— Tu le prends comme ça alors que j'ai l'âme à

l'envers ? Tu es un monstre. Moi qui croyais que tu t'apitoierais, que tu me plaindrais...

Il s'est laissé retomber sur son divan :

— J'en endure tellement que ça me tanne peut-être l'épiderme. Ton père veut se remarier ? Et après ? Il est veuf. Au moins, c'est net, propre... Tandis que chez moi... Tiens, j'en arrive à t'envier que ta mère soit morte...

— Ah ? C'est tout ce que tu trouves à me dire ?

Pan ! Une gifle a claqué, lancée de toutes mes forces, peut-être celle que j'avais été tentée d'envoyer à Suzy. Il fallait décidément que quelqu'un la reçût ce soir. J'en ai eu mal à la main.

Guerrand est resté d'abord abasourdi.

— Tu tapes fort quand tu t'y mets, a-t-il constaté au bout de quelques minutes en se frottant la joue.

Nous sommes restés un moment silencieux. J'étais un peu honteuse de mon geste. J'avais oublié combien il devait souffrir pour en arriver à me dire une chose pareille.

— Pardon, Guerrand, ai-je dit enfin.

— Je n'ai pas à te pardonner. Je l'avais cherché. Alors, tu vas avoir une belle-mère ? Eh bien, moi aussi, et vraisemblablement un beau-père par-dessus le marché. Mes parents divorcent et ils ont tous les deux l'intention de se remarier. Ce que je vois depuis longtemps, ce que j'entends, ce n'est pas beau, beau, tu peux me croire... Alors, de nous deux, je crois que c'est encore moi le plus à plaindre.

Peut-être a-t-il raison. Mais, pour moi qui étais venue chercher des consolations, ce n'était guère un baume sur ma plaie. Décidément, je n'avais qu'à rentrer à la maison pour y remâcher seule ma peine. La pensée qu'à d'autres aussi un brouet amer était servi, était l'unique réconfort que me fût offert.

Il y avait des livres ouverts sur sa table. Il est à H. E. C., ce qui lui a valu d'être sursitaire.

— Au revoir, Guerrand ! A samedi ou à dimanche ! Tu travailles malgré tout ?

— C'est ce que je devrais faire si j'en avais le courage. Mais je ne suis pas sûr de l'avoir ! Salut !

CHAPITRE II

25 janvier

Je me suis très mal comportée ces temps-ci, sans doute par chagrin, par dégoût. Je m'oblige à le noter pour remplacer les confessions que j'ai à peu près cessées. J'ai flirté impudemment. Je me suis même laissé embrasser par Jean-Marc qui n'en revenait pas et qui, depuis, s'est cru tout permis, si bien que j'ai dû le rembarrer sérieusement. Je sens que je suis sur une mauvaise pente mais il m'est impossible de réagir. Même le souvenir de maman que je supplie pourtant de venir à mon secours, est impuissant à me retenir. Je fuis davantage, si c'est possible, les occasions de tête-à-tête avec papa et rejoins de plus en plus souvent mes camarades qui ne demandent pas mieux.

Encore une fois, je sais que j'ai tort. Papa a beau ne pas oser m'interdire ces sorties ni même me les reprocher, je sais que je le consterne, mais mes vagues remords s'envolent vite au vent de ma rancune douloureuse. Et puis, comment ne pas m'absoudre avec l'idée qu'il a désormais Suzy pour le consoler tandis que, moi, je n'ai personne ? Par conséquent, pourquoi me refuserais-je ces petites virées après tout bien innocentes ?

La date de leur mariage approche. En dehors de Guerrand, je ne l'ai annoncé qu'à Kikou. Sa jolie figure lisse est demeurée impassible et elle m'a simplement conseillé de beaucoup bûcher mes cours de japonais. Puis elle a ajouté :

— Vous devriez venir au Japon, Géraldine. Un dépaysement vous ferait du bien. Je suis sûre que Kyoto en particulier vous plairait.

J'ai souri.

— Vos compatriotes aussi, s'ils sont aussi sympathiques que vous, mais je ne sais si c'est réalisable. C'est un voyage terriblement coûteux.

— Vous êtes étudiante. N'avez-vous personne qui puisse intervenir auprès du Centre Franco-Japonais qui attribue, je crois, des bourses de voyage, en petit nombre d'ailleurs ?

J'ai répondu que non et nous en sommes restées là. Kikou ne voulait pas s'attarder et je ne l'ai pas retenue car j'avais rendez-vous avec Jean-Marc et Guerrand dans une boîte que nous aimons.

Sitôt donc expédié notre silencieux repas où toutes les tentatives de papa pour alimenter notre conversation sont tombées à plat, j'ai prétexté des cours à revoir pour filer dans ma chambre. Comme je le quittais sur un rapide baiser, j'ai senti passer dans sa voix un vague espoir assez émouvant.

— Alors, tu ne sors pas ce soir ?

— Je ne sais pas. Peut-être aurai-je une explication

à aller demander à un camarade. Il y a quelque chose au cours que je n'ai pas bien compris.

Papa s'est tu, certainement déçu, puis il a suggéré :

— Tu pourrais lui téléphoner.

— Pas commode. Sa ligne est toujours occupée. Puis c'est plus facile d'être ensemble pour comparer nos notes.

Il n'a pas insisté. Mais il a pu entendre claquer la porte de l'appartement au bout de quelques instants.

Notre rue est calme et peu fréquentée, surtout à cette heure. Sans doute est-ce pour cela que j'ai fini par remarquer un individu, de bonne allure, du reste, haute silhouette, démarche élégante, qui vient acheter les journaux du soir au kiosque voisin. Il doit habiter le quartier et être homme méthodique. Ce soir, il était encore là et je n'ai pas pu m'empêcher de me retourner après l'avoir dépassé. Ses journaux à la main, il allait dans la même direction que moi. Je me demande bien pourquoi je l'inscris dans mon journal comme si cela présentait un intérêt quelconque.

28 janvier

Pas eu le cœur à écrire ces jours-ci. J'ai mené une vie idiote avec, toutefois, un regain d'intérêt pour les cours de japonais. Pas bête, l'idée de Kikou ! Si jamais je pouvais partir, aller loin, au bout du monde, pour fuir cette hantise de maman qu'exaspère encore l'approche de ces noces qui piétinent sa mémoire. Les sorties avec Michaël, Jean-Marc, Guy-Luc et consorts continuent, mais Guerrand se joint moins souvent à nous. Sans doute le divorce de ses parents, auquel pourtant il devait s'attendre, achève-t-il de le perturber. Kikou est en examens et se fait plus rare aussi. Par contre, j'aperçois toujours mon inconnu du kiosque à journaux et cela quelle que soit l'heure de mes sorties. C'en devient curieux, cette coïncidence qui se répète à chaque coup.

⁂

30 janvier

Eh bien, c'est fait ! Papa et Suzy sont mariés ! Je n'ai pas assisté à la cérémonie. Il ne devait y avoir avec eux que leurs témoins, aussi bien à la mairie qu'à l'église. La veille, papa m'avait dit avec un sourire embarrassé :

— Suzy et moi ne voulons pas t'infliger une corvée, ma petite fille, mais, naturellement, tu nous ferais un grand plaisir si tu voulais y venir.

Pour fuir son regard où je lisais une prière plus instante que ses paroles, j'ai détourné la tête.

— Puisque vous me laissez libre, je préfère ne pas y aller, papa.

— Comme tu voudras, ma chérie. Nous nous y attendions un peu.

« Nous ! » Oh ! ce « nous » qui me blesse à chaque fois et que je n'ai pas fini d'entendre !

En guise de voyage de noces, « ils » sont partis pour Fontainebleau en prévenant qu'ils rentreraient le lendemain. Ensuite, ils aviseront, paraît-il... Cela dépendra de leur humeur. Je me demande si ce n'est pas plutôt de la mienne, de la manière dont se passeront les premiers jours de notre cohabitation.

Saisie d'un besoin intense de m'étourdir pour chasser, au moins momentanément, cette obsession que la place de maman à la maison était désormais prise définitivement, j'avais décidé de m'amuser au maximum avec mes copains puisque j'étais sûre que personne ne serait là pour contrôler l'heure de ma rentrée. M'amuser ? Façon de parler, bien sûr... Au moins de le tenter. Ils ont sauté sur la proposition évidemment. J'étais loin de m'attendre à la drôle de rencontre que j'allais faire.

Nous nous sommes donc entassés dans la méhari de Michaël, cinq garçons et une seule fille : moi ! Il devait y en avoir deux autres, mais elles se sont dérobées. Claire a prétendu avoir mal à la tête et les parents de Marie-Laure Sauval l'ont empêchée de nous suivre quand nous sommes passés la chercher.

Guerrand avait accepté de se joindre à nous sur mes instances, alors que, depuis quelque temps, il a l'air de nous fuir. Hervé prétend que son intimité avec un nouveau camarade en est cause mais personne de nous ne connaît ce dernier. C'est sûrement lui qui est venu le relancer vers deux heures du matin, alors que nous en étions à notre quatrième boîte et pas mal excités.

Si un projecteur éclairait violemment l'orchestre, l'obscurité, dans le reste de la salle, était presque complète, seulement trouée par les spots distribuant ça et là un chiche éclairage. Entre les danses seulement s'allumaient les appliques des murs, sans doute pour permettre d'apprécier l'extravagant décor futuriste. Nous étions en pleines ténèbres quand un garçon qu'on n'a fait que deviner est venu taper sur l'épaule de Guerrand qui s'est levé. Ils sont sortis ensemble. Guerrand est revenu seul, presque tout de suite.

— Qui était-ce ? a demandé Guy-Luc.

— Un ami que tu ne connais pas.

— Pourquoi ne lui as-tu pas proposé de rester ? On aurait été un de plus à s'amuser.

Sur ces entrefaites, la lumière a été redonnée et j'ai eu la stupéfaction d'apercevoir, au milieu de tous les garçons et filles qui s'entassaient autour de la piste de danse, mon inconnu du kiosque à journaux que je ne me serais pas attendue à trouver là.

Il était debout dans l'angle opposé au nôtre. Jamais je ne l'avais si bien vu. Pas jeune, jeune ! Trente ans au moins. Grand, mince, brun, seul à avoir les cheveux taillés parmi toutes ces toisons hirsutes, le visage racé, l'œil aigu, la bouche hautaine et le nez en bec d'aigle. Puis l'obscurité s'est partiellement refaite, on s'est remis à danser mais, maintenant que je l'avais repéré, j'ai constaté que, tandis que nous nous désarticulions dans un jerk, hurlant tous l'air que jouait l'orchestre pop' en battant le rythme avec pieds et mains, il demeurait impassible, raide, à la fois lointain et singulièrement présent. Comble d'originalité, il paraissait être seul et j'ai eu la certitude qu'il m'observait. Sans doute m'avait-il aussi reconnue et son étonnement égalait le mien.

Son attention devait avoir quelque chose de magnétique. Je n'ai pas pu m'empêcher de dire à Jean-Marc qui gesticulait en face de moi :

— As-tu vu ce drôle de type planté près de la porte ? Qu'est-ce que tu en penses ?

— Je l'ai déjà remarqué à la « Balalaïka ». Il ne nous quittait pas de l'œil. Tu as fait une touche, ma fille.

Il a passé son bras autour de mon cou. La bretelle de ma robe avait glissé. Mon décolleté était provocant. La tête me tournait un peu. Je ne me suis pas dérobée. Pourquoi l'aurais-je fait d'ailleurs ? Mon père et Suzy se souciaient-ils de moi à Fontainebleau ? Les appliques s'étaient rallumées. Par-dessus l'épaule de Jean-Marc, j'ai dévisagé hardiment ma soi-disant conquête. Ses yeux étaient fixés sur moi et nos regards se sont croisés. J'ai cru voir dans les siens, l'espace d'une seconde, une réprobation mêlée d'une étrange tristesse. Instinctivement, j'ai secoué l'épaule pour me dégager de l'étreinte de Jean-Marc. D'ailleurs, la danse s'était arrêtée.

— Viens, il fait soif, m'a dit Jean-Marc en m'empoignant le bras sans ménagement.

— Tu as pourtant assez bu. Tu tiens à peine sur tes jambes. Fais donc attention : un peu plus, tu me jetais par terre.

Nous avons regagné notre table où les autres étaient déjà revenus. Michaël, le richard de la bande, avait commandé du champagne. Guy-Luc nous a attaqués aussitôt :

— Vous avez vu ce zèbre, là-bas ? Il ne nous quitte pas des yeux.

— Faut croire que nous l'intéressons !

— Pas nous ! Gégé ! — Jean-Marc tenait à son

idée — Je l'ai déjà repéré, moi aussi ! Il la suit ! Il était déjà à la « Balalaïka ». Oh ! mais, tu te trompes, l'ami ! Elle n'est pas pour toi !

Et il a voulu me reprendre par le cou mais je l'ai repoussé :

— Tu m'ennuies ! Laisse-moi.

Guy-Luc avait pris un air important :

— Moi, je crois plutôt que c'est un flic ou quelqu'un d'approchant.

Nous nous sommes tous récriés :

— Il n'a pas une tête à ça, voyons !

— Justement ! L'art, c'est de ne pas avoir l'air de ce qu'on est. Dans ce métier-là surtout !

— Qu'est-ce qu'il ferait ici ?

— Il est peut-être de la Mondaine et inspecte les boîtes de nuit.

Michaël et Hervé risquaient un œil dans sa direction avec précaution au-dessus de leurs coupes. Moi, je m'étais détournée ostensiblement. Il m'a semblé que Guerrand avait pâli, mais il a baissé la tête comme s'il voulait boire avec son nez.

— Je te dis que Gégé l'intéresse, a insisté Jean-Marc, têtu.

— Parce qu'elle n'est pas désagréable à regarder ! Mais je suis sûr qu'il est de la police. Ces cocos-là, je les sens à vingt mètres.

— Mettons ! Eh bien, flic ou pas, on s'en fiche... Allez, on va danser. Gégé, tu viens ?

La pop' avait repris, encore plus rythmée. Le Noir, à la batterie, se démenait comme un diable. Guerrand s'était éclipsé en direction des lavabos.

— Non, je suis fatiguée.

En effet, je commençais à être légèrement nauséeuse. La tête me tournait de plus en plus. Pendant qu'ils parlaient, je m'étais imaginé sentir toujours peser sur moi le regard réprobateur de l'inconnu et cela m'avait exaspérée. De quoi se mêlait-il, celui-là ? Etait-il donc chargé de me surveiller ? Le reproche que je croyais lire dans ses yeux était-il tout simplement une protestation de ma conscience alarmée que je n'avais nulle envie d'écouter ? Par bravade, moi qui ne supporte pas l'alcool, j'avais vidé plusieurs fois coup sur coup ma coupe de champagne que les garçons s'amusaient à remplir et le résultat se faisait sentir.

Au début, nous nous étions comportés à peu près correctement, mais nous nous tenions de plus en plus mal. Hervé vidait son verre dans le cou de Guy-Luc. Michaël pinçait le bras de l'entraîneuse en commandant encore du champagne. Ma bretelle avait de nouveau glissé et Jean-Marc entourait de son bras mes épaules nues sans que je protestasse. Au contraire, je me serrais contre lui.

Tout à coup, j'ai eu l'impression de me réveiller. En un éclair, j'ai eu la vision du spectacle choquant que nous devions présenter : les garçons, rouges, suants, passablement éméchés ; moi qui ne devais guère avoir meilleure allure. La honte, une honte intolérable, m'a brusquement envahie tout entière. Je me suis redressée, j'ai rajusté l'épaulette de ma robe et je me suis levée non sans quelque difficulté.

— Je rentre.

— Tu n'es pas folle ? On commence juste de s'amuser. Et tu as dit que tu étais libre cette nuit.

— Je rentre, ai-je répété.

— Alors il faut qu'on te raccompagne... ? Ce que tu peux être embêtante... Lâcheuse... Enquiquineuse...

— Ne vous occupez pas de moi. Je prendrai un taxi. Ils ont essayé de me barrer le passage. Je les ai bousculés et me suis retrouvée sur le trottoir. La tête ne me tournait plus, mes jambes étaient seulement un peu flageolantes. Mais une tristesse indicible déferlait en moi comme un raz de marée. Le pseudo « flic » m'avait suivie. Il m'a vue monter seule dans un taxi. Je crois qu'il en a pris un derrière moi. Arrivée dans ma chambre, effets combinés du cafard et du champagne, je me suis effondrée sur mon lit et j'ai mordu mon oreiller pour étouffer mes sanglots à travers lesquels je criais : « maman ! maman ! » comme si elle avait pu m'entendre.

CHAPITRE III

31 janvier

Papa et Suzy sont rentrés, visiblement très heureux, pas tout à fait à l'aise cependant, car ils devaient se demander quel genre d'accueil j'allais leur réserver. Papa tenait le coude de Suzy comme si elle avait eu besoin d'encouragement. Son entrée dans sa nouvelle maison s'accompagnait certainement d'une angoisse que n'ont pas coutume d'éprouver les jeunes épousées. Une compassion passagère m'a effleurée. Puis j'ai pensé à maman et cette ombre de pitié s'est aussitôt évanouie.

Cependant, j'ai pu être correcte, répondant avec suffisamment de chaleur au baiser de papa et du bout des lèvres à celui de Suzy. Mais elle a semblé n'y pas prendre garde et m'a discrètement passé au bras un très joli bracelet dès notre entrée dans le petit salon. Ça a été à mon tour d'être un peu gênée.

Le bijou était magnifique : une grosse gourmette en or avec de larges maillons plats. Sur le coup, j'ai été follement heureuse, car j'en désirais un semblable depuis longtemps, mais, de nouveau, le souvenir de maman m'a traversé l'âme. Ce bracelet, c'est parce qu'elle a été non seulement tuée mais remplacée, qu'on me l'a offert. Alors, aussitôt, mon plaisir s'est enfui. Il m'a semblé que le bracelet me brûlait le poignet. Ça a été plus fort que moi : il a fallu que je le retire.

— Je vous remercie beaucoup, ai-je dit avec effort — je me suis même forcée à sourire — Il est vraiment trop beau pour être mis tout le temps. Je le réserverai pour les grandes occasions.

Ils ont échangé un regard résigné qui signifiait clairement : « C'était à prévoir ! »

— Tu le porteras quand tu voudras, ma chérie, a dit papa. L'essentiel, c'est qu'il te plaise. Alors, qu'as-tu fait hier soir... ? Raconte-nous un peu.

Je n'allais tout de même pas leur narrer cette stupide soirée dont je suis encore honteuse. J'avais hâte de les quitter au cas où papa entreprendrait de pousser plus loin son interrogatoire. Justement, l'occasion s'y prêtait.

— Rien de particulier. Je suis sortie avec des camarades. A présent, il va falloir que vous m'excusiez. Je vais vous abandonner bientôt, car mon amie japonaise ne va pas tarder à arriver.

— Maintenant... ? A sept heures passées... ? Nous allons bientôt nous mettre à table, voyons...

— Je suis désolée mais je ne vous attendais pas si tôt. Aussi avais-je prévu une dînette dans ma chambre pour Kikou et moi.

Suzy n'a pas bronché, mais la figure de papa s'est rembrunie.

— Je t'avais tout de même prévenue que nous rentrerions pour dîner. C'est assez impoli à notre égard, ma petite fille. Quand ton amie arrivera, explique-lui ce qu'il en est. Elle comprendra certainement et vous conviendrez d'un autre soir pour vous retrouver.

Suzy est intervenue. Elle a souri, d'un sourire sans fiel qui se voulait décontracté, mais qui déguisait mal un arrière-fond de tristesse.

— Laissez, Robert. Inutile de bouleverser les projets de Gégé. Nous nous retrouverons tous les trois demain. Si vous le permettez, je vais d'ailleurs demander qu'on nous serve tout de suite, nous deux. Je serai contente d'avoir un peu de temps après le repas pour ranger mes affaires. Bonsoir, ma chérie.

Et elle s'est dirigée vers la salle à manger, suivie de papa, me laissant dans le salon, un peu décontenancée. Heureusement, Kikou est arrivée presque immédiatement. Elle a aussitôt remarqué les valises dans le vestibule et a eu le sourire un peu artificiel de sa race, pas très expressif et, pourtant, tellement lénifiant.

— On dirait que vous avez des voyageurs.

— Oui. Mon père et sa femme, mariés d'hier et rentrés à l'instant après un voyage de noces de vingt-quatre heures. J'ai eu droit à un bracelet pour me consoler de cet abandon momentané.

— Vous allez me le montrer, j'espère. Mais je tombe mal à propos, alors... ? Si nous remettions notre soirée, Géraldine... ? Cela ne me gêne pas du tout, vous savez...

— Pas question, Kikou. Quand je vous ai demandé de venir, je savais déjà qu'ils seraient de retour. Soyez tranquille, ils se passeront très bien de moi. Cela les arrange peut-être même.

— En êtes-vous bien sûre ?

Je n'ai pas répondu et nous sommes allées dans ma chambre qui est un peu à l'écart dans l'appartement. Pas trop cependant : juste ce qu'il fallait pour me donner le sentiment de l'indépendance sans avoir celui d'être reléguée. Je l'avais aménagée à ma guise, aidée de maman qui tempérait mes excès d'originalité. Nous avions choisi ensemble la teinte claire des murs, les meubles bas, les tons contrastants des coussins et la moquette couleur de gazon. Comme elle donne sur un grand balcon qui disparaît sous les géraniums, on se croirait dans un jardin. J'ai adoré mon chez moi. Maintenant, il me donne envie de pleurer par tout ce qu'il me rappelle. Kikou s'est assise à côté de moi sur le divan, les mains sagement à plat sur ses genoux, paumes en l'air à la japonaise, tandis que je tiraillais les poils de la fourrure blanche qui le recouvre.

— Nerveuse, Géraldine ?

— Un peu.

— Et le bracelet ?

— Patientez un peu. Vous le verrez tout à l'heure.

Je ne tenais pas du tout à le lui faire admirer. Rien que l'idée de le revoir m'était pénible. Elle n'a pas insisté et est demeurée silencieuse quelques instants, toujours souriante et rien que de voir ce sourire sur son visage lisse me détendait. Aussi ne me suis-je pas insurgée quand elle a renoué avec quelque retard, le temps de méditer mes réponses :

— Je suis certaine, au contraire, que vous les avez peinés.

— Si c'est vrai, tant pis ! Je n'avais vraiment pas le cœur à agir autrement.

Elle s'est tue encore un instant comme si elle réfléchissait, puis elle a repris, de sa voix musicale au timbre un peu insolite pour nos oreilles occidentales :

— A quoi pensez-vous que cela vous mènera, Géraldine ?

J'ai fait semblant de ne pas comprendre mais j'étais de mauvaise foi.

— Quoi ?

— Cette attitude de reproche permanent que vous semblez adopter vis-à-vis de votre père.

— A rien. Je le sais mais je ne peux pas faire autrement. Si vous saviez combien je souffre, Kikou !

— Vous n'êtes vraiment pas raisonnable.

Et, comme je me taisais, elle a poursuivi avec douceur :

— Cela vous contrarie que votre père se soit remarié ? Si vous réfléchissiez, vous réaliseriez que c'est infiniment plus respectueux pour la mémoire de votre mère que d'oblitérer son souvenir par des liaisons passagères plus ou moins douteuses... Tandis que deux belles images peuvent se juxtaposer l'une à l'autre sans se porter ombrage réciproquement. Votre père est jeune, Géraldine... Comprenez-le donc une bonne fois. Votre âme peut demeurer endeuillée sans que vous vous obstiniez dans un refus du présent un peu puéril.

— Puéril, Kikou... ? Vous avez de ces mots ! Je ne suis tout de même plus une enfant !

— Non, mais vous vous comportez comme si vous en étiez une. Et, de plus, vous manquez de logique... Vous en voulez terriblement à votre père que vous tenez pour responsable de la mort de votre mère et votre ressentiment épargne celui qui a été le principal auteur de l'accident.

J'ai sursauté avec tant de violence que j'ai failli renverser la petite table sur laquelle notre souper était préparé.

— Mais vous êtes folle, Kikou ! Où avez-vous pris ça ? Au contraire, je crois que, si je le tenais, je serais capable de le tuer.

— Comme ça, Géraldine ? Sans tenir compte de ses regrets, des remords qu'il a probablement... ?

— Je voudrais le tuer, je vous dis ! Ou, du moins, c'est fou ce que je pourrais lui assener comme reproches ! De quoi l'acculer au suicide ! Rassurez-vous, ça ne risque guère ! Il est tout le temps hors de France et n'était que de passage quand c'est arrivé. Je ne sais à peu près rien de lui. J'étais en pleine dépression quand l'affaire a passé en jugement et le docteur avait exigé qu'on me tienne le plus possible en dehors de tout. Pour mieux y arriver, on m'avait même envoyée à la montagne. Je sais seulement qu'il pouvait avoir une trentaine d'années, qu'il avait les cheveux roux et qu'il n'était pas seul. Il y avait un jeune garçon avec lui, à ce que m'a dit bien plus tard un témoin de la collision, que j'ai rencontré par hasard et qui, d'ailleurs, n'est même pas venu déposer. Je crois qu'on a dit que c'était inutile puisque les auteurs de l'accident reconnaissaient les faits. Bref, cet assassin de chauffard est pour moi un inconnu ! Tandis que mon père, hélas, je vis avec lui ! Et je ne peux presque pas le regarder sans penser que, s'il avait conduit moins vite, ma mère serait sans doute encore de ce monde !

— Ce n'est pas prouvé, Géraldine.

— Il y a une chance, en tout cas. Papa s'en est bien tiré !

— C'était à un carrefour, n'est-ce pas ? Je n'ai jamais osé vous demander de détails.

— Oui. Hors de Paris. Papa avait la priorité et l'autre a voulu passer quand même. Mais, comme la route prioritaire était, à cet endroit-là, en vitesse limitée à cause de travaux et qu'on a pu prouver que papa roulait trop vite, il a écopé d'un tiers de responsabilité. Tout cela à cause d'un rendez-vous qu'il avait peur de manquer ! Il n'avait qu'à partir plus tôt ! Vous voyez bien que je n'ai pas tort de lui en vouloir...

— Si, Géraldine. De toute façon, nous ne sommes guère plus que des instruments, incompréhensifs du but pour lequel ils sont utilisés.

— Je ne suis pas fataliste. C'est lâche et c'est trop facile d'incriminer le destin.

— Je croyais que, pour une chrétienne, le destin s'appelait providence, Géraldine, et qu'il était pour vous l'expression d'une volonté supérieure devant laquelle vous deviez vous incliner.

Je n'ai pas répliqué. Nous nous sommes tues un moment, puis, changeant de sujet, elle a fait allusion à son retour à Kyoto qui approche.

— Vous me manquerez, Kikou.

— C'était prévu, Géraldine. La session de perfectionnement que je suis, va bientôt prendre fin. Peut-être reviendrai-je l'an prochain. Peut-être vous-même, d'ici là, serez-vous venue au Japon...

« Peut-être ! » Un mot trompeur qui éveille une espérance destinée le plus souvent à être déçue ! J'ai émitté le canapé de saumon sur mon assiette sans pouvoir l'achever, car ma gorge s'est serrée.

— Je ne partirai que d'ici huit à quinze jours, a dit Kikou, consolante. Nous aurons encore le temps de nous voir. Mais pourquoi ne m'avoir pas fait signe hier soir puisque vous étiez seule ?

Je me suis sentie rougir. Le seul fait d'évoquer cette soirée continue à me remplir de confusion. Au lieu d'une heureuse diversion, elle ne m'aura valu qu'une persistante sensation d'écœurement et... le souvenir d'un regard qui s'obstine à me hanter. Pour camoufler mon embarras, je me suis forcée à rire.

— Seule ? Erreur, Kikou ! J'avais cinq garçons pour me tenir compagnie.

— Ici ?

— Pensez-vous ! Une vraie vadrouille que nous avons faite : la « Balalaïka », le « White Monkey », « le Pub »...

— Votre inévitable Enguerrand était du nombre, je parie ?

— Bien sûr ! Avec Jean-Marc et Hervé que vous connaissez et encore deux autres.

Elle a hoché la tête.

— Hervé, Jean-Marc, passe ! Quoique ce soit de parfaits voyous ! Mais votre Enguerrand ! Je vous concède que ce n'est pas un mauvais garçon. Mais c'est un désaxé... Par des ragots d'étudiants, j'ai appris qu'il avait des fréquentations suspectes. A votre place, je me méfierais.

— Oh ! Kikou, pourquoi ? C'est un pauvre type un peu dans mon genre, une sorte de laissé pour compte...

— Comme si vous l'étiez, Géraldine !

J'ai négligé l'interruption.

— Ses parents sont en train de divorcer. Il est mal dans sa peau. Je crois même qu'il regrette d'en avoir une. Je me demande si, un jour, il n'essaiera pas d'en sortir... Il faisait une triste figure hier soir, je vous assure.

Toute la scène repassait de nouveau devant mes yeux sans qu'en fût omis le moindre détail : Jean-Marc me tenant par le cou ; ma bretelle vagabonde ; Guerrand tout pâle, le nez dans sa coupe ; cet autre qui n'a fait qu'entrer et sortir, le temps de lui chuchoter quelques mots à l'oreille ; et, enfin, le grand brun qui nous observait et que Guy-Luc a prétendu être un policier. « Un flic ! » a-t-il même dit en ajoutant, devant nos protestations, qu'il appartenait peut-être à la brigade mondaine. Si c'en était vraiment un, il faut reconnaître qu'il fait honneur à la police. De la classe, un profil aristocratique... ! Peut-être, du reste, mon souvenir est-il en train de le magnifier, ce « flic » puisque, faute d'un autre nom à lui donner, j'en suis réduite à l'appeler ainsi. Peut-être seule une fantaisie de ma mémoire attribue-t-elle une pareille élégance à cette haute taille ; une telle distinction à ce profil énergique ? Mais, pour ce qu'il en est de l'intensité de ce regard fixé sur notre groupe avec une acuité qui le rendait presque intolérable, je suis bien sûre de ne pas me tromper...

Toute à mes réminiscences, j'avais oublié Kikou qui m'a taquinée gentiment :

— Où étiez-vous partie, Géraldine ?

— Excusez-moi. Un petit incident de notre soirée que j'ai tout à coup revécu. Je vais vous raconter.

Brusquement, je ne pouvais plus y tenir. Il fallait que je parle du « flic ».

— Figurez-vous que notre bande n'a pas passé inaperçue. Nous avons même été suivis.

— Vous avez attiré l'attention à ce point ? Suivis par qui ?

— Ne prenez pas cet air choqué, Kikou. Nous n'avons tout de même pas causé de scandale. Et notre suiveur n'a pas été importun ! Il s'est borné à nous observer. Un type bien, d'ailleurs ! Grand, brun, de la classe... Aux antipodes d'un hippy, je vous jure... Le plus drôle, c'est qu'il doit habiter dans mes parages. Il m'est arrivé plusieurs fois de l'apercevoir dans notre rue.

— Mais il n'était pas seul ?

— Si. Etonnant, n'est-ce pas ? C'est surtout ce qui nous a intrigués.

— Eh bien, sans doute cherchait-il des compagnons ! Peut-être aurait-il voulu se joindre à vous.

— Il n'a pas essayé, en tout cas. Je vous dis qu'il n'a fait que nous regarder. D'ailleurs, il n'avait pas l'air d'avoir envie de s'amuser.

De l'avoir dépeint même brièvement me le rendait encore plus présent. Plus que jamais, je revoyais la gravité de sa physionomie, déconcertante en un endroit pareil et, surtout, ses yeux, plus clairs d'être profondément enfoncés dans l'orbite et soulignés par de longs cils très noirs. Au fait, ces yeux, étaient-ils d'un gris ardoisé ou couleur d'aigue-marine ? Voilà que je ne savais plus à présent...

Kikou s'était mise à rire.

— S'il vous a vraiment tant regardés, je crois que vous, Géraldine, lui avez bien rendu la pareille.

Bêtement, j'ai rougi de nouveau. Je me demande bien pourquoi. J'ai dit précipitamment, comme si c'était une explication :

— L'un de nous a soutenu que ce devait être un policier.

— Je crois que son imagination l'entraîne un peu loin. A moins que lui ou un autre de vos garçons n'ait pas la conscience tranquille... ? Je penserais volontiers à votre Guerrand... Encore une fois, méfiez-vous, Géraldine.

— Me méfier d'un pauvre type parce qu'il est un peu déboussolé ? Vous rêvez, Kikou ! Dites-moi plutôt : quand nous revoyons-nous ?

— Après-demain si vous voulez. Je vous attendrai à la sortie de mon cours et nous irons goûter ensemble. Où en êtes-vous du vôtre ?

Je me suis mise à lui réciter un poème du Men-Yo-Siu.

— L'accent n'y est pas tout à fait mais, pour une Occidentale, ce n'est pas mal. Vous n'avez qu'à persévérer. Evidemment, il vous faudrait un petit séjour au Japon. En attendant que vous y décidiez votre père, à après-demain... Et, si vous voulez me faire plaisir, portez le bracelet qu'on vous a offert. Je serai contente de vous le voir et puis je suis sûre que cela allégerait l'atmosphère autour de vous.

⁂

Après son départ, je suis restée longtemps à rêver, pelotonnée sur mon divan. Sa visite m'avait été bienfaisante. Je me sentais détendue, libérée momentanément de cette amertume qui me corrode l'âme. Est-ce aussi parce que le fait de lui avoir dépeint cet inconnu dont le souvenir me poursuit, me l'a rendu encore plus présent ? Cette obsession m'est pénible par tout ce qu'elle me rappelle d'humiliant et, cependant, elle n'est pas dépourvue d'une certaine douceur.

L'illusion que quelqu'un ait fait l'effort momentané de s'intéresser à moi, même pour me blâmer, m'est un réconfort dans la grisaille de ma solitude. Kikou partie, que me restera-t-il ? Papa, Suzy... Bien sûr, pour les avoir proches de moi, il y suffirait d'un peu de bonne volonté de ma part, mais les griefs qui traduisent ma fidélité à une morte auront la vie dure, à supposer que j'aie à la fois le désir et la volonté de les chasser. Ou alors, Guerrand, mon vieux Guerrand dont il faut que j'assume davantage la responsabilité si les on-dit dont Kikou s'est faite l'écho, sont vrais. Le dévouement apporte avec lui sa récompense, paraît-il. Je n'ai pas atteint, hélas, ce sommet. Pour peu que se renouvellent des soirées comme celle de l'autre jour dont je crains que le dégoût ne s'émousse, j'ai peur de me perdre. Oh ! comme au-dedans de moi la voix qui pleure maman, appelle au secours...

Tout à l'heure, j'irai acheter un magazine quelconque, rien que pour essayer d'apercevoir... qui, au juste... ? Comment le désigner, mon inconnu aux airs de censeur ? Plus je pense à lui et plus ce mot de « flic » me choque. Je sais bien qu'il fait partie de notre langage courant d'étudiants, sans intention péjorative d'ailleurs, surtout parce que l'employer donne, à bon compte, l'air un peu frondeur que nous affectionnons, mais, là, vraiment, il colle trop mal au personnage. Alors... ? J'y suis : je l'appellerai « ma conscience ». Ne l'a-t-il pas été en quelque sorte, l'autre soir, par le silencieux reproche de ses yeux gris ? N'est-ce pas, en définitive, à cause de leur langage muet que je me suis sentie coupable et que je suis partie ?

⁂

Désappointement ! C'est en vain que je suis descendue chercher ELLE. « Ma conscience » avait dû choisir une autre heure pour acheter son journal. Sans doute, l'arrivée pourtant prévue de papa et de Suzy en nouveaux époux avait-elle déjà mis à mal ma sensibilité, car j'ai éprouvé de cette déconvenue une déception stupide, complètement disproportionnée à sa cause.

⁂

2 février

Rien de particulier à noter ou si peu ! Il faut vraiment le monotone harcèlement de ma peine et le dégoût de ce qui m'entoure pour faire à ce « peu » qui tient en quatre mots les honneurs de mon journal ! J'ai revu « ma conscience » !

Rencontre imprévue, en dehors de l'heure habituelle où je l'entrevois, si bien que j'en ai été toute retournée, d'autant plus qu'il avait l'air de me guetter. J'allais sortir de la maison pour me rendre à mon cours aux Langues orientales. Il paraissait regarder le programme des spectacles sur la colonne Morris qui est au bout de notre rue, mais j'ai bien vu qu'il faisait semblant. C'est plutôt la porte de notre immeuble qu'il observait.

Je me suis immobilisée sur le seuil pour l'épier de mon côté et j'ai pu constater que mon souvenir était fidèle quant à son physique. Tel je le revoyais dans ma mémoire, tel il est : haute stature, maigre visage, air grave et pensif. Ne pouvant pas rester indéfiniment sous le porche de l'immeuble, j'ai fini par sortir et, malgré que mon cœur se soit mis à battre un peu plus vite, j'ai passé tout près de lui. J'ai même ralenti le pas, exprès pour bien donner à nos regards le temps de se croiser. Encore une fois, j'ai cru voir dans le sien un intérêt aigu, tempéré d'une certaine douceur triste.

Après l'avoir dépassé, j'ai accéléré l'allure. Pourtant, je n'ai pas pu m'empêcher, au bout d'une vingtaine de mètres, de jeter un coup d'œil par-dessus mon épaule. Et bien, il me suivait ! De loin, mais indéniablement. Il ne m'a lâchée qu'à proximité de la Sorbonne. C'est idiot, mais, de toute la journée, j'ai eu l'âme comme réchauffée. Pas de doute, je ne lui suis pas indifférente et, cependant, quelle pitoyable opinion il doit avoir de moi ! Comment soupçonnerait-il la cause profonde de ce désarroi qui, trop souvent, annihile toute retenue en moi... ? Oh ! combien j'aurais besoin, mon inconnu, que vous soyez vraiment ma conscience ! Je me demande parfois si la mienne n'a pas été ensevelie avec maman.

CHAPITRE IV

5 février

La tentation de commettre les pires folies, uniquement pour faire du mal à ceux qui osent prétendre m'aimer alors qu'ils semblent avoir pris à tâche d'augmenter ma peine, ne cesse de grandir depuis que voilà Suzy intronisée maîtresse de maison. Chaque jour qui passe, loin de m'habituer à sa présence, me distille sa goutte d'amertume. Pourtant, elle y met toute la discrétion, toute la délicatesse possibles. Loin de lui en savoir gré, je le lui reproche, y voyant une preuve d'hypocrisie. La vraie vertu n'aurait-elle pas consisté à refuser d'épouser papa ? Et tout son tact ne peut empêcher qu'inexorable batte en moi le pouls du souvenir.

Pourtant, je fais des efforts méritoires. Je m'efforce de transformer ma froideur hostile en indifférence polie. A peine si je montre les griffes de temps en temps. Je détourne la tête quand on s'assied à table pour éviter de la voir prendre la place de maman, alors que j'aurais envie de l'en chasser avec de grosses insultes vulgaires. Oh ! comme je peux la détester à ce moment-là, tout comme je déteste papa quand je le vois lui prendre le bras, par inadvertance, car ils s'observent encore devant moi... De moins en moins, d'ailleurs.

Une pudeur l'a tout de même empêchée de prendre la chambre de maman. Elle campe dans la petite pièce qui servait de penderie et qui communique avec la salle de bains de papa, mais, si jamais l'idée lui en vient... Ce jour-là... eh bien, Géraldine, ce jour-là, que feras-tu ? Question que je préfère ne pas me poser, car cette contrainte que je m'impose me met déjà à bout de forces. Je persévère néanmoins. Est-ce l'effet des admonestations de Kikou ou le souvenir d'un certain regard qui persiste à me hanter et m'amollit quand il me revient avec plus d'insistance ? Par moments, l'obsession est si forte que je me mets mentalement à bavarder avec ces yeux ou, plutôt, avec leur propriétaire. Je tente de me disculper de ma tenue au cours de cette horrible soirée, je cherche à l'apitoyer : « Mais non, monsieur, je ne faisais rien de vraiment mal... Ne me croyez surtout pas une fille à ça... Je vous jure que je me moque de tous ces garçons. Mais, pour ce qui est d'avoir du chagrin, ça, oui, j'en ai... Si vous me consoliez un peu au lieu de me regarder avec cet air fâché... ? Il me semble que vous devez savoir si vous voulez vous en donner la peine... Malgré votre expression sévère, il y a quelque chose de doux dans votre regard... »

Minutes de congé données à ma fantaisie, accordées à la rêveuse que maman reprenait tendrement ; inoffensive détente dont ne se doute certainement pas celui qui me l'occasionne. Je l'ai revu presque tous ces soirs près du kiosque à journaux. Est-ce une idée de ma part ? Il m'a semblé qu'il faisait un mouvement vers moi. J'ai presque cru qu'il allait m'aborder. J'en avais en même temps peur et envie. Mais c'eût été pour me dire quoi... ? Lentement, comme à regret, il s'est détourné. Cette fois, il ne m'a pas suivie. Nous sommes partis chacun de notre côté.

⁂

Jean-Marc m'a appelée au téléphone, furieux d'un silence auquel je ne l'ai pas habitué.

— Tu es morte ou quoi ? Qu'est-ce qui t'a prise, l'autre soir ? Tu nous as salement plaqués... Ça ne te plaisait pas, notre petite virée ?

— J'étais fatiguée. Je vous l'ai dit.

— Tu mens. Tu es partie parce que tu t'es imaginée que le « flic » t'en voulait.

— N'est-ce pas ce que tu as prétendu ?

— Pour te faire marcher. Peut-être que je l'ai cru sur le moment... Et puis, c'était marrant de jouer à inventer des trucs sur lui. Tu peux être tranquille, il se fichait pas mal de nous.

Sa voix était convaincue. Pourtant, je suis bien persuadée du contraire. J'ai laissé tomber. D'ailleurs, lui aussi. Il a embrayé sur autre chose.

— Mais ce n'est pas de ça que je voulais te parler, c'est de Guerrand. Il m'inquiète. As-tu de ses nouvelles ?

J'ai été prise de remords. Toute à mes rêveries, je l'ai un peu négligé ces temps-ci. Pourtant, c'est une immense affection qui me lie à lui. Nos peines sont différentes, mais en quelque sorte jumelles. Je me demande parfois si cette amitié ne finira pas par se muer en amour et si, de nos deux mornes solitudes fondues ensemble, ne pourrait pas naître un éclatant bonheur qui nous réconcilierait avec l'existence. Mais, lisant encore mal en moi, comment démêlerais-je ce qu'il pense ?

Cependant, Jean-Marc continuait à parler :

— Il a des coups de cafard à croire qu'il va ouvrir le robinet du gaz. Je t'assure qu'il est bon pour le suicide ou la drogue. Il paraît que cela vous vaut des sensations merveilleuses.

Guerrand, mon Guerrand, consentir à une pareille démission, allons donc ! Toute mon amitié, à laquelle il faudrait peu de chose pour glisser vers un autre sentiment, a protesté :

— Tu es fou. Se laisser aller à un pareil abandon de la personnalité, c'est abject ! Non, Guerrand ne ferait jamais ça ! Mais tu as bien fait de m'alerter. Dès que tu auras raccroché, je l'appelle. Et je tâcherai de passer chez lui.

J'ai donc téléphoné à Guerrand. J'ai eu beaucoup de mal à l'avoir. Le récepteur collé à l'oreille, j'entendais grésiller la sonnerie. J'avais peur qu'elle se décourageât. Car, tout à coup, il me semblait que Guerrand était en danger. L'idée qu'il pouvait être absent ne m'effleurait pas. S'il ne me répondait pas, c'est qu'il était en proie à ses démons ou malade, ou Dieu sait quoi... Enfin, j'ai entendu sa voix.

— Oui. Qui est là ?

— Moi, Gégé. Idiot, imbécile, pourquoi ne répondais-tu pas ? Cinq bonnes minutes qu'on te sonne..

— Pas envie ! Et puis, je ne savais pas que c'était toi...

— Qu'est-ce que cela veut dire ? Il paraît que tu ne vois plus personne..

— Le monde entier me dégoûte. Alors je m'évade le plus que je peux.

— Comment ?

— En rêve. En attendant que ce soit pour de bon.

J'ai pensé à ce que m'avait dit Jean-Marc. J'ai voulu plaisanter.

— Alors ? Istanbul ? Katmandou ou... ? Les paradis artificiels ?

— Pourquoi pas ?

— Guerrand, ça ne va plus. Tu es chez toi encore un moment ? Bon ! Je rapplique.

— Tu me déranges un peu. J'attends quelqu'un.

— Je ne resterai qu'un instant.

Il n'a pas dit non. J'ai enfilé mon caban et j'ai sauté chez lui.

Je l'ai trouvé, les traits tirés, anxieux, fébrile. Il m'a avoué qu'il ne dormait plus, mais je lui ai arraché la promesse de n'user de tranquillisants qu'avec modération. Il n'a cessé de fumer cigarette sur cigarette, comme pour tromper une impatience grandissante. Sous le prétexte d'un renseignement à chercher, j'ai fouillé dans ses affaires et n'ai pas trouvé de seringue. Cela m'a un peu rassurée. Jean-Marc est un bluffeur qui parle souvent à tort et à travers pour se rendre intéressant.

— Qu'est-ce qui se passe, Guerrand ? Dis-moi.

— Ça va de plus en plus mal dans la baraque. Je voudrais être sourd et aveugle.

— Moi aussi, chez moi, ai-je répondu.

— Pauvre fille, on est sur le même bateau !

Manifestement, il n'avait pas envie d'en dire davantage et se prêtait mal à une conversation indifférente. J'ai pensé un instant à lui reparler du « flic », puis je n'ai pas osé. Je me rappelais qu'il avait cherché à éviter son regard, d'abord en baissant la tête, puis en quittant notre table.

Enfin, il s'est levé :

— Je ne voudrais pas te chasser mais je t'ai prévenue que j'attendais quelqu'un. Merci tout de même d'être venue.

Je me suis sentie un peu allégée quand j'ai repris le chemin de la maison après lui avoir fait jurer de me rappeler ou de passer me voir si cela n'allait vraiment pas. J'avais conclu une trêve avec le « moi » aigri, révolté, qui m'habite. Les conseils de Kikou m'étaient revenus en mémoire et puis je suis toujours contente quand j'ai vu Guerrand. Oh ! pourquoi a-t-il fallu qu'au retour... ? Précisément, ce que je pressentais en le redoutant, le voilà accompli.

⁂

En rentrant, j'ai trouvé en conciliabule, dans le vestibule, papa, Suzy et un individu que j'ai tout de suite compris être un décorateur. Il tenait encore à la main le carnet sur lequel il avait dû noter des mesures.

— Oui, monsieur. Du reps rose-pêche conforme à l'échantillon. Cela siéra parfaitement à la carnation de Madame. Les murs, les tentures. Pour les meubles, je verrais plutôt une soierie à dispositions pour éviter la monotonie.

Suzy, m'apercevant, l'a interrompu.

— Nous déciderons cela plus tard. Au revoir, monsieur.

— Pressez le tapissier, a encore recommandé papa.

— Vous pouvez être tranquille. Je vais faire diligence. Vous serez satisfaits.

La porte s'est refermée sur lui. Et le bruit m'a rappelé celui du couvercle du cercueil se rabattant sur maman... Je me suis campée devant eux. L'apaisement précaire m'avait quittée. Je retrouvais l'indignation désolée qui est en moi à demeure. Pourtant, je me dominais encore :

— Inutile de continuer les cachotteries à présent, ai-je dit. J'ai compris.

Ils sont restés un peu penauds. Pressentant la grande scène, Suzy a dit doucement :

— Pas ici, ma chérie. Dans le salon, si tu as quelque chose à nous dire.

— Si j'ai quelque chose à vous dire ! Ainsi, tu chasses jusqu'au souvenir de maman là où elle était chez elle... ? Et toi, papa, non seulement tu tolères, mais tu encourages... ?

Nous étions dans le petit salon à présent. Suzy s'était assise. Ses doigts tremblaient sur le marbre du guéridon où elle avait posé la main. Papa, tout en jouant avec son stylo, a dit avec une fermeté nouvelle :

— Sois raisonnable, ma petite fille. Suzy ne pouvait pas rester indéfiniment dans ce débarras. C'est justement par respect pour la mémoire de ta mère que le cadre, où elle a vécu, va être intégralement renouvelé. Les meubles même seront changés. Ils iront chez toi.

— Pas question ! ai-je crié. Ma chambre restera telle que maman l'a aménagée. On n'en déplacera pas une chaise. Si tu as oublié, moi, je n'oublie pas !

Papa avait abandonné son stylo. Il m'a répondu d'une voix dure qu'il n'avait jamais prise avec moi :

— Il ne s'agit pas d'oubli et je n'ai pas de leçons à recevoir de toi sur ce chapitre ni sur d'autres. Il en sera comme je l'ai décidé. Si tu ne veux pas les meubles de ta mère dans ta chambre, on les mettra dans la chambre de réserve et, si jamais tu changes d'avis, ils seront à ta disposition.

— Les affaires de maman avec les vieilles malles et le rebut ! Comme son souvenir ! Ah ! c'est complet !

— Ma petite fille, tu me fais beaucoup de peine.

— Et vous à moi, donc !

Suzy, toujours accoudée au guéridon, a relevé le visage qu'elle avait enfoui dans ses mains.

— Je vous l'avais dit, Robert, que nous blesserions

Gégé. Mais il est encore temps de tout décommander. Je peux très bien continuer à m'accomoder de la petite chambre.

Cette fois, papa s'est mis en colère pour tout de bon.

— Certes non ! Vous n'allez pas rester indéfiniment dans un débarras. Pour peu que tu y réfléchisses une minute, Gégé, toi-même tu en conviendras. Et je te préviens que je n'admettrai pas le renouvellement de pareilles insolences. Donc, finissons-en de cette scène pénible. Persistes-tu à ne pas vouloir les meubles de ta mère dans ta chambre ?

J'ai fait signe que oui de la tête. De larmes, de colère, j'étouffais.

— Bon. Et bien, je donnerai ordre qu'on les mette où j'ai dit. Tu sais fort bien qu'ils ne risquent pas de s'y abîmer et qu'il ne s'agit pas du grenier. Tu rentrais ou tu sortais ?

— Je rentrais, mais je vais ressortir. J'ai un camarade à voir.

Rester une minute de plus, même enfermée dans ma chambre mais les sentant à quelques mètres de moi ? Impossible. Plutôt rejoindre n'importe lequel de mes copains. Partir avec lui. J'ai de l'argent.

Papa a eu une grimace expressive, mais n'a pas fait de commentaires. Sans doute jugeait-il que cela suffisait comme cinéma.

— Alors, à ce soir.

Je n'ai rien répondu. Je leur ai tourné le dos à tous deux et suis sortie en claquant la porte.

CHAPITRE V

28 février. Orly

Je suis à Orly ! En partance pour le Japon ! C'est incroyable et pourtant vrai ! Je crispe mes doigts à me faire mal sur mon stylo pour m'assurer que je suis bien éveillée car les événements que je viens de vivre, tiennent à la fois du cauchemar et du rêve le plus extravagant. Papa et Suzy viennent de me quitter, croyant l'envol imminent, mais l'avion pour Tokyo a eu deux heures de retard. Donc, je suis seule... Seule avec mon journal, fourré dans mon sac à la dernière minute. Je n'y ai rien écrit depuis trois semaines. Un drame se vit mais ne s'écrit pas... Ou, alors, après coup, comme je vais essayer de le faire à présent pour employer ces deux heures d'attente... Et j'étais en plein drame !

Pour commencer, il m'a valu d'acquérir une certitude : celui que, faute de mieux, j'appelais « ma conscience », est bien de la police. J'en suis sûre maintenant. C'est même quelqu'un d'important. Est-ce que cela me gêne ou m'ennuie ? Non, car il a le don de forcer la sympathie et sa sévérité ne me rebute pas. Pourtant, il ne m'a pas ménagée... Mais, au fond de lui, il me plaignait. Déjà je croyais le lire dans ses yeux. Maintenant, j'en suis certaine.

Le drame, car vraiment c'en a été un, s'est déroulé le soir où, rentrant à la maison, j'ai appris que Suzy allait s'installer dans la chambre de maman. En moi, ce fut comme un ouragan qui se levait, gros de ravages imprévisibles. J'ai prétexté que j'avais à ressortir. En réalité, c'était une fuite devant le sacrilège qui allait se commettre.

En passant devant le kiosque à journaux, j'y ai jeté un coup d'œil dans le vague espoir d'apercevoir la silhouette dont la vue m'apportait toujours une espèce de réconfort. Mais la marchande était seule et tricotait, indifférente. J'ai continué à marcher, d'abord au hasard, puis la soif m'est venue d'entendre une voix, fût-elle taquine, blagueuse, incompréhensive... Guerrand étant indisponible, j'ai pensé aux autres copains. Fatalité ! Jean-Marc, Guy-Luc, Michaël, tous absents !

La fatigue pesait de plus en plus lourd à mes jambes. Le visiteur de Guerrand devait être parti à présent. Je me suis donc décidée à retourner chez lui.

Je n'ai pas eu à sonner. La porte palière était entrebâillée. Personne, comme souvent ! Je suis allée à sa chambre. La pièce était vide et certainement pas depuis longtemps, car le cendrier était plein de mégots, les coussins du divan en désordre.

Je me suis rappelée qu'il s'était aménagé dans une mansarde une retraite secrète où, parfois, il se réfugie. J'ai eu comme la prescience d'une catastrophe et j'ai grimpé en courant l'escalier de service. J'ai poussé une porte mal close et j'ai reculé, épouvantée : Guerrand gisait à terre, inanimé, les yeux révulsés. J'ai voulu crier, appeler au secours. Je n'en ai pas eu le temps. Une main a saisi mon poignet tandis qu'une voix énergique commandait :

— Taisez-vous. Inutile d'ameuter la maison !

Je me suis retournée : l'inconnu du kiosque était devant moi.

Il a soulevé Guerrand dans ses bras, l'a étendu sur le divan défoncé et l'a examiné rapidement.

— Vraisemblablement une overdose : amphétamine associée à Dieu sait quoi ! Ces garçons ont le diable au corps. Et impossible de prendre sur le fait ce chenapan qui...

Il s'est interrompu pour s'adresser à moi qui étais sur le point de me trouver mal.

— Voyons, ne vous affolez pas ainsi. Asseyez-vous et attendez-moi. Je reviens tout de suite. Le temps de le descendre chez lui et de téléphoner pour une ambulance. Pourriez-vous seulement m'ouvrir la porte ?

Il est sorti, Guerrand dans ses bras, qui semblait n'y peser pas plus qu'un enfant.

Je me suis effondrée dans un vieux club avachi et y suis demeurée un temps inappréciable, littéralement assommée. Enfin, la porte s'est rouverte. L'inconnu est revenu. J'ai voulu me lever mais il a dû s'apercevoir que mes jambes flageolaient car, me prenant par le coude, il m'a fait rasseoir.

— Restez tranquille. Vous n'êtes pas encore en état de bouger. Si je trouvais seulement quelque chose à vous faire avaler... Ah ! voilà qui fera l'affaire...

Dans un placard, il avait déniché une bouteille où demeurait un reste de whisky.

— Tenez, buvez. Au goulot. Je n'ai pas vu de verre.

Et, comme j'hésitais, il a ajouté avec un demi-sourire un peu ironique :

— Ne faites pas de manières. Vous ne rechignez pas tellement devant l'alcool, il me semble.

Une chaleur m'est montée aux joues. Le souvenir de cette soirée, où je me suis si mal comportée, me revenait avec son poids de honte. C'est un vrai gémissement qui m'a échappé.

— Si vous saviez...

— Je me doute, a-t-il dit doucement. Buvez.

J'ai bu et je me suis sentie un peu mieux. Mais ce n'était pas l'effet de l'alcool : c'était plutôt celui de sa présence tenant du miracle qui agissait sur moi comme un charme. De nouveau, j'ai voulu me lever, mais j'étais moins solide sur mes jambes que je ne croyais et j'ai dû me raccrocher à sa manche pour ne pas tomber.

— Dites... Il ne va pas mourir ?

— Votre ami... ? Je pense qu'on va le tirer de là, mais il était temps. Il fera bien de ne pas recommencer.

— Je le surveillerai, me suis-je écriée. Je saurai bien l'en empêcher.

Il me dévisageait avec une étrange douceur apitoyée.

— Comment le pourriez-vous ? C'est d'une cure de désintoxication qu'il aura probablement besoin. Et vous n'êtes pas tellement plus énergique que lui, mademoiselle Roques, pour vouloir le prendre en charge. Même en admettant, ce que je veux bien croire que vous, du moins, ne vous droguiez pas...

J'ai balbutié, abasourdie :

— Comment... ? Vous savez mon nom ?

Ses yeux se sont assombris et l'expression grave de ses traits s'est encore accentuée. Il y avait de l'émotion dans sa voix quand il m'a répondu :

— Je sais beaucoup de choses, mademoiselle Roques. En particulier, en ce qui vous concerne. Notamment que vous choisissez bien mal vos relations. Cela risque de vous entraîner loin, très loin... Ce que vous avez vu ce soir peut vous en donner une idée. Vous êtes sur une pente terriblement glissante. Surveiller votre ami, dites-vous, alors que vous paraissez tellement désemparée et, qui plus est, semble-t-il, sans contrôle...? Qui dit que ce ne sera pas lui, au contraire, ou vos autres camarades qui vous entraîneront à cet égarement ou à d'autres ? L'indulgence de votre père vous laisse malheureusement le champ libre.

Je l'ai interrompu violemment.

— Ne me parlez pas de mon père.

— Oui. Vous récusez son autorité et vous refusez son amour ; aussi ne doit-il plus savoir comment s'y prendre avec vous. Vous êtes rebelle et impitoyable, mademoiselle Roques.

Les paroles étaient plus sévères que le ton, compatissant, presque tendre. Aussi n'ai-je pas eu l'idée de m'insurger.

— Qui êtes-vous donc pour me parler ainsi ? ai-je seulement balbutié.

— Que vous importe ?

— Vous êtes de la police, n'est-ce pas ? Autrement, comment sauriez-vous tout cela ? Mes camarades s'en sont doutés tout de suite.

— Vraiment ? Ils sont joliment perspicaces... Eh bien, admettons qu'ils aient eu raison. Et ce... policier que vous voyez en face de vous, ne vous effraie pas ? C'est pourtant l'effet que produisent d'habitude les gens de ce métier.

— Non. Au contraire !

Tout ce que je lui disais mentalement à mes heures de divagation m'est alors monté aux lèvres.

— Je voudrais tant que vous me croyiez si je vous dis que je ne suis pas aussi dépravée que j'en ai l'air. C'est vrai que je vous ai donné toutes les raisons possibles de me juger épouvantablement mal. Mais c'est le chagrin qui me pousse à bout ! Je suis trop, trop malheureuse... Parfois je ferai n'importe quoi pour oublier ma peine seulement pendant quelques heures... Vous dites savoir beaucoup de choses : savez-vous que ma mère est morte, tuée dans un accident d'auto, que mon père s'est remarié ? Et, maintenant, il faut que je supporte de voir sa femme occuper la place de maman ! Jusqu'à sa chambre qu'elle va lui prendre, mon refuge où j'allais penser à elle, essayer de la retrouver quand j'en avais trop gros sur le cœur ! Je ne le sais que depuis ce soir. Alors, je n'ai pu tenir en place. Je suis sortie, j'ai erré dans Paris, cherchant quelqu'un à qui dire ma peine, mon indignation, mais tous mes camarades étaient absents. Celui-ci est mon meilleur ami. Il est malheureux, lui aussi ! Peut-être m'aurait-il comprise, plainte... J'aurais tant, tant besoin qu'on essaie au moins de me consoler, même si c'est sans y arriver ! Mais je suis seule, seule à mourir !

J'ai dit tout cela, et bien d'autres choses encore sans doute, que je ne me rappelle plus : toute ma vie à la maison, ce qui se passait en moi. Les mots jaillissaient de ma bouche, entrecoupés de sanglots, presque en dehors de ma volonté. Finalement, c'est un déluge de larmes qui m'a obligée à me taire. Et je me suis retrouvée presque dans les bras de mon interlocuteur, sanglotant sur son épaule tandis qu'il essuyait mes larmes avec son mouchoir.

— Là, là, ne soyez pas si désolée... Calmez-vous, pauvre petite fille... Ne pleurez pas ainsi...

Il caressait mes cheveux et c'était bon de me sentir enveloppée de ces grands bras robustes qui s'étaient faits si doux ! Mon intuition m'avait bien dit qu'il devait savoir consoler ! Mais je n'aurais jamais cru que sa voix pût avoir des accents aussi prenants. Elle me berçait tendrement le cœur et la tempête qui était en moi, s'apaisait sous sa magie.

— Je voudrais que vous n'ayez pas trop mauvaise opinion de moi, ai-je insisté en reniflant.

— Non, bien sûr ! Si quelqu'un est à blâmer, ce n'est certes pas vous ! Mais ce n'est pas une raison pour vous laisser aller...

Il paraissait presque aussi ému que moi, si bien que j'ai senti que je devais m'excuser. Je me suis efforcée de sourire à travers mes dernières larmes.

— Je vous ai ennuyé avec mes histoires.

— Ne dites pas de bêtises.

Après m'avoir fait rasseoir dans le vieux club, il s'était mis à marcher dans la pièce de long en large, l'air soucieux.

— A présent, il va falloir que vous songiez à rentrer chez vous.

— Pour trouver cette Suzy dans la chambre de maman ? Jamais !

— Qu'avez-vous l'intention de faire alors ?

— D'abord, aller à l'hôpital voir comment va Guerrand.

— Ça, je m'en charge. D'ailleurs, on ne vous laisserait pas entrer. Et après...?

J'ai baissé la tête. Les copains, c'est bien pour s'amuser, mais il ne faut pas trop compter sur eux. Si indépendants qu'ils fussent avec leurs familles, je ne me voyais pas m'installer chez eux. Et, mon sang-froid un peu revenu, je ne me méprenais pas sur certains risques..

— J'ai un peu d'argent sur moi. Papa m'a ouvert un compte à la banque. Je travaillerai.

— Comme cela ? Vous pensez que vous trouverez séance tenante un emploi qui vous permette de vivre ? Vous suivez des cours à la Sorbonne, n'est-ce pas ?

— Oui. De langues orientales. Ma seule véritable amie était une Japonaise. Mais elle est repartie pour Kyoto. Elle aurait voulu que je l'accompagne.

— Et vous n'avez pas accepté ?

— Elle m'a conseillé de demander une bourse au Centre Franco-Japonais. Je l'ai fait, mais cela n'a pas dû aboutir.

Il n'a pas insisté, a jeté un coup d'œil sur sa montre.

— Savez-vous qu'il est tard ? Pour l'instant, croyez-moi, ce qu'il faut faire, c'est rentrer chez vous.

— Je vous ai dit que je ne voulais pas.

— Si je vous en priais... ?

Il a plongé dans mes yeux ce regard gris-ardoise qui exerce sur moi un tel pouvoir de fascination et qui était encore plus chaud, plus ensorcelant. J'aurais voulu lui résister. Je n'ai pas pu. J'ai seulement répété :

— Je voudrais voir Guerrand.

— Bon. Eh bien, nous allons faire un marché : vous rentrez chez vous sagement. Et, demain, je vous retrouve et je vous conduis chez votre ami.

— C'est bien vrai ? Où vous retrouverai-je ?

— Ici, si vous voulez. J'emporterai la clef. Elle est là sur la porte. Je suppose que ses parents n'en auront pas besoin.

— Il n'y a que lui qui vienne ici. Ses parents ne le savent sans doute même pas. Ils ne sont jamais chez eux. Maintenant qu'ils sont en instance de divorce, encore moins.

— On les préviendra tout de même. Ils se rappellent peut-être de temps en temps qu'ils ont un fils. Mais je m'arrangerai pour que nous soyons seuls auprès de... Guerrand, puisque c'est ainsi que vous l'appelez.

— Oui. C'est le diminutif d'Enguerrand.

— Je l'avais deviné. Alors, c'est d'accord...? J'ai votre parole ?

J'ai incliné la tête.

— Nous allons prendre un taxi. Vous n'êtes pas en état de marcher. Je vous reconduis chez vous et, de là, je vais à l'hôpital.

Dans le taxi, nous n'avons plus rien dit. A la maison, je suis allée droit à ma chambre. Au déjeuner, papa m'avait prévenue que Suzy et lui dîneraient ce soir chez des amis à elle, ce que j'avais oublié dans mon affolement, mais qui m'arrangeait bien. A l'employée de maison, j'ai simplement dit que j'avais la migraine et allais me coucher. D'ailleurs, c'était tout ce à quoi j'aspirais : Guerrand au seuil de la mort, à supposer qu'il ne l'eût pas franchi ; « ma conscience » surgissant providentiellement pour s'en occuper et sécher mes larmes, c'en était trop ! J'étais persuadée que, malgré mon immense fatigue, le souvenir de ces dramatiques événements allait m'empêcher de trouver le sommeil et, au contraire, je me suis endormie aussitôt.

J'ai passé la matinée du lendemain et l'après-midi à osciller entre une inquiétude qui allait s'amplifiant et une allégresse que je me reprochais. Je voyais Guerrand agonisant sur un lit d'hôpital, peut-être déjà mort, et je m'en tenais pour responsable. Si j'avais été plus clairvoyante, si je l'avais davantage entouré, peut-être ne se serait-il pas laissé entraîner... Mais mes propres peines m'avaient accaparée, et aussi les caprices de mon imagination !

Et puis ma mémoire bondissait. A Guerrand gisant inanimé sur le sol se substituait cette image qui, d'emblée, s'est étrangement gravée en moi, cette haute taille robuste, ce maigre visage énergique avec deux rides presque pathétiques au coin des lèvres et cet envoûtant regard couleur d'ardoise mouillée attardé sur moi. L'invraisemblable s'était produit : j'avais pleuré sur cette épaule qui s'était creusée tendrement pour me recevoir et j'avais vu se pencher sur moi, apitoyée, cette figure d'une gravité intimidante. J'allais la revoir, réentendre la voix dont le timbre s'était fait si doux pour me dispenser des paroles consolantes. Alors, tantôt les heures se faisaient lentes au gré de mon inpatience, tantôt elles fuyaient rapides, tant mon esprit avait de quoi les remplir.

Ainsi s'est passée la journée. Au déjeuner, je devais être dans les nuages, mais papa et Suzy n'ont fait aucune remarque, attribuant sans doute mon air absent à la dispute de la veille. Comme il était à prévoir, je suis arrivée avec une demi-heure d'avance au rendez-vous. J'avais pris mon parti d'attendre devant la porte. « Il » était déjà là ! Aussitôt, il m'a un peu rassurée.

— J'ai vu votre ami ce matin. On est optimiste. Mais je vous préviens que nous ne ferons qu'entrer et sortir. On ne l'a réanimé qu'à grand-peine. Il est encore dans un état semi-comateux, mais sa tension a remonté. Ses parents sont venus le voir. L'un après l'autre d'ailleurs ! Maintenant, venez ! Ma voiture est en bas.

C'est un Guerrand bien lamentable que j'ai entrevu. Tous les appareils de réanimation encombraient encore la chambre et une infirmière était à son chevet. Je me suis agenouillée au pied du lit, sur le point de fondre en larmes :

— Guerrand, mon vieux Guerrand...

Jamais je n'avais senti à quel point il me tenait au cœur. L'infirmière m'a souri gentiment en voyant mon émotion.

— Son pouls est mieux frappé. Cela va aller. Voyez, il vous a reconnue.

En effet, sa main avait légèrement frémi sous la mienne. J'ai serré ses doigts encore semi-rigides. Déjà mon compagnon me touchait l'épaule.

— Cela suffit pour aujourd'hui. Vous reviendrez. Après-demain, si vous voulez.

— Vous croyez qu'on me laissera entrer ?

— Il faudra encore que je vous introduise. Mais, à partir de la semaine prochaine, il aura sans doute le droit de recevoir librement des visites. Je pense d'ailleurs que vous serez contente de le voir seule.

Je n'ai pas répondu tout de suite et nous avons regagné la voiture. Vraiment, je ne savais que dire. Bien sûr, je serais heureuse de retrouver mon vieux copain en tête à tête et de m'ahurir avec lui du miracle qui avait fait surgir tellement à point notre « flic » du « Tiger's ». Mais, alors, c'en serait fini de ces entrevues où il savait se faire si réconfortant ! Nous en reviendrions aux rencontres fortuites près du kiosque à journaux où, peut-être, désormais, nous échangerions quelques mots hâtifs sur le trottoir. D'avance, je sentais qu'il me serait dur de m'en contenter.

— Evidemment, cela me fera plaisir, ai-je fini par dire avec effort quand j'ai été de nouveau assise à côté de lui. Mais est-ce que cela vous choquera si je vous avoue que je pense que vous allez me manquer ? Vous m'avez fait tellement de bien !

— J'en suis plus heureux que vous ne sauriez croire.

Un bref attendrissement a rajeuni et éclairé son visage. Peut-être est-il moins âgé que je ne l'ai cru d'abord. Mais ce fut si rapide que j'ai douté ensuite d'avoir bien vu.

— Je tâcherai de tenir compte de tout ce que vous m'avez dit, ai-je poursuivi. Mais ce sera difficile.

— Rassurez-vous, je n'ai pas l'intention de vous abandonner tout à fait. Pas plus que votre ami Guerrand, du reste, car il faudra trouver un moyen pour l'enlever à ses tentations. Je ne désespère pas d'y arriver... Pour l'instant, je vais vous déposer ici. Vous n'êtes pas loin de chez vous. Où voulez-vous que je vous retrouve après-demain ? Je ne peux pas garder indéfiniment la clef de la mansarde des Coucy et je n'ose pas vous proposer d'aller vous prendre à votre domicile...?

— Non, surtout pas !

Quelqu'un de la police venant me chercher à la maison ! Si papa ou Suzy venait à l'apprendre, quelle histoire !

— Alors, il faut trouver autre chose... Je pense à un petit bar tranquille au coin de cette rue. Je vais vous le montrer. Je vous y attendrai.

— Je ne sais pas comment vous remercier.

— Donc, ne cherchez pas ! Ah ! si : en vous efforçant de mettre un peu d'aménité dans vos rapports avec votre père et avec votre belle-mère. Promis ?

Nous nous sommes quittés là-dessus.

Le surlendemain, nous nous sommes retrouvés. Cette fois, Guerrand était nettement mieux.

— J'ai bien embêté tout le monde, a-t-il murmuré. Même mes parents, figure-toi !

— Et moi, Guerrand, y as-tu pensé seulement ? Mais tu ne recommenceras pas, dis, tu me le promets ?

— Je tâcherai. Mais je me demande tout de même si l'on n'aurait pas mieux fait de me laisser crever ! J'appréhende un peu ce que ça va donner quand je vais sortir d'ici. Mes parents, il ne faut pas que j'y compte de trop ! Ça les a secoués, mais ils ne changeront pas pour autant ! Et puis, ils seront pris chacun de son côté par leur nouveau ménage ! Alors, moi, de nouveau, tout seul...

— Et moi, Guerrand ?

— Je serais peut-être capable de faire pas mal de choses pour ne pas trop dégringoler dans ton estime, mais je me connais : au fond, je suis un vélléitaire et un lâche. Alors...

— Veux-tu bien ne pas dire des choses aussi abominables et fausses par-dessus le marché ! Si tu étais mort, le chagrin que j'aurais eu, te l'imagines-tu ?

— Tu en aurais eu tant que ça ?

— Plus que tu ne mérites, vieil idiot !

— Alors, tant mieux que j'en ai réchappé ! Mais j'ai peur tout de même, tu sais. Il faudrait que je me sente sérieusement épaulé.

— Tu le seras, ai-je dit précipitamment. Tu sais, notre « flic »...

— Oui : celui qui m'a fait amener ici. Ce doit être une huile : on se met presque au garde à vous devant lui. Mais c'est un rudement chic type ! il est revenu plusieurs fois me voir.

— Il m'a dit qu'il continuerait à s'occuper de toi.

— S'il le fait vraiment, c'est sûr que ça m'aiderait. Mais il aura certainement d'autres chats à fouetter. Tout ce que les gens promettent...

Sur ces paroles désabusées, il a fermé les yeux. L'infirmière est entrée et m'a fait signe que la visite avait assez duré. Mon compagnon m'attendait discrètement dans le couloir. En auto, mon cœur, d'abord allégé, a recommencé à peser lourd dans ma poitrine. Guerrand avait réussi à m'insuffler un peu de son scepticisme. Et la pensée que ce trajet en voiture était le dernier que je ferais avec ce conducteur si efficace, si délicat, si compréhensif, achevait de me saper le moral.

Il conduisait en silence, l'air absorbé. Cependant, de biais, il m'a jeté un coup d'œil.

— Voyons, ne faites pas cette mine triste quand votre

ami est virtuellement tiré d'affaire alors qu'il avait bien des chances d'y rester... Savez-vous qu'il a remonté dans mon opinion ? Hier, à plusieurs reprises, j'ai essayé de lui arracher quelques précisions sur son pourvoyeur et je n'y suis pas arrivé ! Pourtant, j'ai insisté, je vous assure.

— Comment ? Vous l'avez tourmenté à ce point ? Et moi, on me laisse à peine lui parler sous prétexte de ne pas le fatiguer !

J'ai failli ajouter que c'était bien le fait d'un policier de se montrer aussi impitoyable, mais je me suis rappelé la douceur dont il avait fait preuve avec moi et je me suis tue à temps. Mais le don de divination de ce diable d'homme s'est encore exercé.

— Vous pensez que le harceler de questions dans son état était le fait d'un bourreau ? C'est exact que j'ai voulu profiter de sa faiblesse pour lui extirper des renseignements précieux. Sa résistance prouve qu'il a encore de la volonté et qu'on a de fortes chances de le remettre sur rails.

— Il compte sur vous pour ça.

— Il a raison. Un certain père Jaouen fait des choses très bien dans cet ordre d'idées. Je le verrai. Parlons de vous maintenant. Cette vie chez votre père continue à vous paraître au-dessus de vos forces ?

— Oui, oh ! oui. Voir la nouvelle femme de mon père à la place de maman et penser à quelle raison elle doit d'y être m'est un martyre de toutes les minutes. Je vous l'ai déjà expliqué.

— Il faudra bien tout de même que vous finissiez par vous y habituer.

Il ne me regardait plus et semblait tout à coup absorbé par le souci de conduire. Pourtant, la rue où nous venions de nous engager était relativement calme.

— Ce projet de voyage au Japon, dit-il tout à coup, vous sourirait vraiment ?

— Si je ne dois plus voir Guerrand pendant quelque temps (ni vous ! ai-je failli ajouter) oui, énormément !

— Patientez un peu. Je me suis rappelé que j'avais un ami au Centre Franco-Japonais. Peut-être pourrait-il appuyer efficacement votre demande de bourse. A Tokyo aussi, du reste, je ne suis pas sans relations !

— C'est inimaginable le mal que vous voulez vous donner, pour Guerrand, pour moi ! Je vous ai déjà dit que je ne savais pas comment vous remercier...

— Et, moi, je vous ai déjà répondu de ne pas chercher.

— Oui, mais vous avez ajouté d'essayer d'être plus aimable pour papa et pour Suzy. Je m'y efforce, je vous assure. Sans grand succès d'ailleurs... Mais ces remerciements dont vous ne voulez pas, vous ne pouvez pas m'empêcher de vous les adresser dans mon cœur ! Et je ne sais même pas votre nom, alors que vous savez le mien et tant de choses sur moi !

La question qui me tarabustait était enfin sortie. Il a souri.

— Comment me désigniez-vous quand il vous arrivait de penser à moi, si je ne suis pas indiscret ? Le flic, je pense ?

Le monstre d'homme ! J'ai senti que je rougissais jusqu'aux oreilles :

— Au début, oui, peut-être... Avec mes camarades ! Mais, très vite, je n'ai plus pu... Alors — ne vous moquez pas de moi ! — quand je me suis aperçue que la manière dont vous me regardiez m'obligeait à rentrer en moi-même et à réfléchir — c'est vrai, je vous assure — je vous ai appelé « ma conscience ». Ça ne vous fâche pas ?

— C'est, au contraire, flatteur, impressionnant, mais excessif ! Le fait est que vous ignorez mon nom. Je m'appelle Jean Renaud.

Nous étions arrivés près de chez moi. Il a arrêté la voiture.

— Désormais, vous pouvez donc venir seule voir Enguerrand de Coucy. Attendez encore deux ou trois jours et puis vous viendrez quand et autant que vous voudrez. Il ne tardera d'ailleurs plus guère à rentrer chez lui mais redites-lui bien que je ne le perdrai pas de vue. Sans doute aura-t-il encore ma visite.

— Peut-être nous rencontrerons-nous auprès de lui.

J'espérais un acquiescement qui n'est pas venu. Il a enchaîné :

— Vous aurez peut-être aussi de mes nouvelles. Indirectement. Un conseil : suivez vos cours assidûment... Allons, au revoir, mademoiselle Géraldine. Et promettez-moi d'être raisonnable.

Mon nom dans sa bouche m'a paru comme une caresse. Mais cette première fois où je le lui entendais prononcer, était aussi la dernière !

— Je vous le promets, ai-je dit à moitié étranglée. Et, encore une fois, merci. Adieu, monsieur... Renaud.

Il a incliné la tête, m'a ouvert la portière. Je suis partie très vite sans me retourner.

⁂

Ensuite, des jours ont coulé, monotones, péniblement meublés par mes cours aux Langues orientales, où je me suis plongée avec un regain d'ardeur, et par des visites à Guerrand : d'abord à l'hôpital, puis chez lui. Y allais-je uniquement par affection ou pour l'entendre parler de M. Renaud ? Les deux, je pense. Non seulement, ce dernier est venu le voir trois fois, mais il l'a confié à deux jeunes internes qui l'entourent en attendant son embarquement à bord du *Bel-Espoir*. C'est une goélette qui emmène des jeunes dans son cas pour des périples en mer sous l'égide de ce fameux père Jaouen.

Guerrand est tout feu, tout flamme pour cette évasion. Du coup, il a presque rompu avec nos anciens copains et moi aussi. J'avais cessé d'avoir envie de les voir. J'attendais... je ne savais quoi qui ne devait pas manquer de se produire et cela suffisait à m'occuper l'esprit. Pourtant, au kiosque à journaux, M. Renaud n'était pas revenu !

⁂

Finalement, j'ai reçu une lettre du Centre Franco-Japonais : ma demande était acceptée pour une session de trois mois avec voyage payé et une petite subvention pour les frais, qui sera suffisante grâce à la complaisance de Kikou qui accepte de m'héberger.

— Il y a du Renaud là-dessous, m'a dit Guerrand quand je lui ai fait part de la nouvelle.

Je n'en n'avais pas douté une minute et mon sang avait battu plus vite dans mes veines tandis que la lettre palpitait au bout de mes doigts.

— Ça me fera triste d'être séparé de toi.

— Puisque tu vas partir sur ton bateau... Et puis, trois mois seront vite passés, trois mois pour te guérir définitivement, Guerrand !

Il s'est penché vers moi et m'a glissé dans l'oreille en me pinçant très fort :

— Peut-être pour te mériter !

***

Cette fois, ça y est : le clignotant est apparu sur le tableau en regard du vol pour Tokyo. On ne va pas tarder à nous appeler.

CHAPITRE VI

15 mars

Mon journal, décidément, subit des éclipses. Je n'ai plus guère le temps d'écrire et, pourtant, je devrais m'obliger à noter mes impressions japonaises toutes fraîches, ne serait-ce que pour mieux me les rappeler quand je serai rentrée en France. Il pleut aujourd'hui — il pleut beaucoup au Japon — Kikou est sortie et son frère aussi. Leur mère, Ishami-San — Perle de Rosée — a entrepris de nettoyer l'autel des ancêtres installé dans un renfoncement du salon, sur une manière de petite estrade qu'on appelle le *tokonoma.* C'est une espèce de petite étagère où sont soigneusement alignées, derrière des brûle-parfums et des soucoupes pour les offrandes, quelques statuettes de divinités tutélaires et des plaquettes sur chevalets portant les noms des disparus de la famille. Elle en a pour un moment, car c'est un travail minutieux qu'elle accomplit avec une lenteur pieuse. J'ai donc un grand moment de tranquillité devant moi et je vais en profiter, car Perle de Rosée ne pénètrera pas de longtemps dans la pièce qui, la nuit, me sert de chambre et, dans la journée, constitue simplement une salle de séjour où tout le monde est chez soi.

En effet, la seule critique que je ferai aux maisons japonaises, du moins à celles que j'ai visitées jusque-là, est de manquer totalement d'intimité. Les cloisons de papier de riz laissent passer tous les bruits et aucune pièce n'a de véritable destination. La maison Suzumura en comporte trois, précédées d'une entrée où l'on abandonne ses chaussures et qui communiquent entr'elles. Derrière, délimitant une courette où se dresse un magnifique pin, un petit couloir coudé conduit à la cuisine et à la salle de bains qui sont assez modestes. La vie est coûteuse ici et les Suzumura ne doivent pas être très riches.

Assez au fait des mœurs nippones pour être prévenue de l'absence de literie, je me demandais avec une certaine inquiétude où j'allais coucher. Eh bien, le soir venu, Kikou a tout simplement sorti les traditionnels *foutous* d'un placard dissimulé dans la cloison et, dans une des pièces, en a étendu deux sur les *tatamis* — ces nattes de paille de riz, d'un blanc toujours immaculé, qui recouvrent comme une moquette le sol de toutes les habitations nippones sans exception. Si bien qu'on mesure par *tatami* la surface d'une pièce, car ces nattes sont de dimensions standard ; on se borne à les ajuster. Et « se tatamiser » est devenu, pour les Européens, l'expression consacrée pour signifier qu'on s'habitue à la vie japonaise.

Mon lit ainsi fait, en un tournemain, juste le temps de poser ces minces matelas sur les tatamis, Kikou a agi de même dans les deux autres chambres pour sa mère et elle et pour son frère. Je n'ai eu qu'à m'insinuer entre ces deux espèces d'édredons et, le lendemain matin, tout est rentré dans l'ordre, l'appartement ne se composant plus, en quelque sorte, que d'une série de minuscules salons.

Un Japonais non « occidentalisé » serait sidéré à l'énumération de tout le matériel qui compose notre couchage : lit, sommier, matelas, draps, couvertures, et par le temps que nous consacrons à l'organiser.

Pour ce qui est de la campagne japonaise, c'est une aquarelle bien lavée, dans les tons verts et bruns : les bruns pour les rustiques habitations, et les verts pour les arbres qui sont incroyablement nombreux, variés et touffus. Tokyo, que j'ai à peine vu, car j'ai aussitôt pris le train pour Kyoto, m'a paru une inimaginable prolifération de buildings, dominés par la tour Eiffel dont les Japonais sont très fiers, car elle est plus haute que la nôtre.

Kyoto, en revanche, est enchanteresse, avec ses petites rues bien droites, bordées de maisons basses, en retrait derrière de minuscules jardinets qui trouvent le moyen, avec un pin ou un bambou, de la mousse, une lanterne de pierre et un bassin grand comme un tub, de donner l'impression de l'infini. C'est avec Florence, Bruges et Ispahan, une des plus exquises villes d'art au monde, ce qui lui a d'ailleurs valu, sur l'instante demande de fervents orientalistes américains, de ne pas subir de bombardements. Aussi a-t-elle conservé intacts son cachet vieillot et ses trésors souvent cachés. C'est ainsi que les torri vermillon des temples shinto y surgissent inopinément, presque toujours précédés d'une allée de pins qui leur compose un agreste vestibule, alors que les temples bouddhiques dissimulent leur architecture tarabiscotée au fond d'une cour qu'entourent des boutiques de souvenirs et d'horoscopes.

⁂

Tout cela, guidée par Kikou, je l'ai découvert avec émerveillement dès les premiers jours de mon arrivée. Sa jolie figure calme rayonnait de plaisir lorsqu'elle m'a accueillie à la gare et m'a embarquée dans sa Toyota pour me conduire chez elle. Sa mère m'attendait sur le seuil, souriante, courbée pour les politesses d'usage, multipliant les *dozo* (1), fragile et menue dans un sobre kimono prune rehaussé par un somptueux *obi* de brocart d'argent. Seul, Hamato ne s'est pas mis en frais. Il s'est plié en deux sans un mot, pour le plus traditionnel salut nippon, les mains pendantes jusqu'aux mollets et le visage impénétrable.

Sans être laid, il n'a pas le charme de sa sœur. Je n'ai jusqu'ici remarqué en lui que ses grosses lunettes rondes et ne connais pas encore le son de sa voix. Kikou dit que c'est parce qu'il a peur de perdre la face devant moi avec sa prononciation défectueuse du peu de français qu'il connaît. A quoi j'ai répondu

(1) Dozo — Entrez, je vous prie. Soyez la bienvenue.

qu'il n'avait qu'à me parler en japonais comme le fait d'ailleurs sa mère et que je suis chez eux pour parfaire mes connaissances en leur langue. Mais je crois plutôt que c'est un xénophobe et qu'il déteste les Françaises.

Je ne devrais pas m'ennuyer. Je devrais même être heureuse, car Kikou est toujours délicieuse et Perle de Rosée, pleine de gentillesse. Je suis momentanément délivrée de cet absurde diminutif de Gégé qui m'a toujours horripilée, car, pour cette dernière, je suis devenue « Ladiné-San », à peu près japonais qui a la prétention de traduire « Géraldine ». Le Nippon confond les « r » et les « l » et ignore l'« e » muet. San est un suffixe de politesse qui équivaut indifféremment à monsieur, madame ou mademoiselle. Seule de tous les Japonais que j'ai rencontrés, Kikou qui est rompue à toutes les subtilités de notre langue, la parle avec un accent impeccable.

En somme, tout semble concourir pour m'assurer du bien-être physique et moral et même un relatif bonheur. Le souvenir de maman se fait moins obsédant. De Paris, j'ai reçu deux lettres de papa et une de Suzy, toutes trois pleines d'affection, que j'ai lues sans humeur comme si la distance atténuait l'irritation de ma plaie. Pourtant, la paix intérieure me fait défaut. Pourquoi ?

Face à face avec ce cahier, je tente de m'analyser mais c'est difficile car tout est flou en moi. En allant au fond des choses, je crois que je suis victime d'une crise de scrupules dont la cause initiale réside dans le comportement de mon vieux Guerrand. Il m'a beaucoup écrit ces temps-ci, du *Bel-Espoir* où il poursuit sa cure de désintoxication. Il se dit guéri et je crois, jusqu'à plus ample informé, qu'il l'est. Mais j'ai l'impression aussi que ses sentiments à mon égard évoluent dangereusement. Leur camaraderie bougonne, un peu cynique, se nuance de tendresse. J'ai l'intuition qu'au bout de son stylo des mots d'amour étaient en suspens et j'ai peur. Il prétend que c'est ma pensée qui l'a soutenu dans ses moments difficiles : « C'est pour toi que j'ai lutté, que je lutte encore et que je vaincrai, » m'écrit-il.

« Pour toi ! » Quelle responsabilité ne me jette-t-il pas sur le dos ! Et si je ne l'assume pas pleinement, si je le déçois, quel effroyable risque ne vais-je pas lui faire courir ? Pour le moment, je ne crois pas l'aimer. Encore n'en suis-je pas tout à fait sûre... Je le suis moins encore de ne pas finir par l'aimer pour de bon s'il se met à m'aimer vraiment : « L'amour appelle l'amour », dit-on. Mais est-ce toujours vrai et quelle atroce incertitude quand celui qui aime est un malade qu'une déception risque de précipiter dans une rechute et qu'on navigue soi-même dans les ténèbres ?

Il me semble qu'il n'y en a qu'un qui me permettrait de voir clair, c'est celui que j'ai, un temps, appelé « ma conscience » et qui semblait mystérieusement tout savoir de moi. Je pense à lui souvent. Je voudrais qu'il soit encore une fois proche de moi comme le terrible soir où, dans la mansarde des Coucy, j'ai pleuré dans ses bras et où il m'a apaisée, rassurée, raisonnée, après avoir sauvé Guerrand, physiquement d'abord, avant de le sauver moralement ensuite. Car, si Guerrand fait voile maintenant sur le *Bel-Espoir,* confié au père Jaouen, si, moi, je suis ici, c'est grâce à Renaud ! Mais il estime sans doute en avoir fait assez pour chacun de nous et, maintenant, il s'est retiré de notre vie. J'en ressens comme une amputation.

Bêtement, j'ai éprouvé une douceur à écrire son nom. Cela l'a fait resurgir encore plus nettement devant moi. Avec une intensité plus aiguë, plus poignante qu'une présence, je revois son regard où brille une sollicitude presque douloureuse ; sa haute taille infléchie vers moi. Monsieur Renaud, comme vous me manquez !

J'entends Kikou glisser sans bruit dans la pièce voisine, sur ses *tobis,* les chaussettes à la japonaise, au pouce séparé des autres orteils, car elle a naturellement quitté ses souliers en entrant pour ne pas salir les éblouissantes nattes de paille de riz qui couvrent le plancher. Je m'arrête. Du reste, j'ai les larmes aux yeux.

⁂

25 mars

Mon malaise moral s'accentue. Il y a en moi un vide que je n'arrive pas à remplir. J'ai essayé de m'en ouvrir à Kikou, mais elle n'a pas paru me comprendre. Elle s'est bornée à me conseiller de m'intéresser davantage aux cours du Centre Franco-Japonais qu'il m'est arrivé, c'est vrai, de sécher plusieurs fois pour aller flâner à l'aventure.

C'est ainsi que j'ai découvert seule le Ryoan-Ji, cet étonnant jardin Zen où j'ai rêvé longtemps. Il est tracé avec une économie de moyens extraordinaires — quinze pierres et encore, de quelque manière qu'on se place, l'œil n'en aperçoit que quatorze — disposées avec un art déroutant sur une arène de sable où le râteau a dessiné des volutes selon une loi qui nous échappe. On est à la fois séduit et intrigué par tant de dépouillement. Est-ce à cela qu'il faut tendre pour obtenir la sérénité de l'âme et l'ascèse chrétienne rejoindrait-elle la sagesse désincarnée du Zen ? Non, bien que je n'y atteigne pas complètement, je sens notre foi en un Dieu rédempteur personnalisé, plus humaine, en même temps plus accessible et plus enrichissante. J'aurais voulu discuter ces problèmes avec Kikou mais, décidément, elle se fait lointaine. Sa mère est exquise, pourtant, avec elle, les échanges d'idées sont limités. Quant à Hamato, n'en parlons pas : il continue de jouer les personnages muets.

⁂

30 mars

Je tiens l'explication du changement de Kikou. Elle est fiancée ou sur le point de l'être et, au Japon comme ailleurs, « les amoureux sont seuls au monde ». Pourtant, elle a dû tout à coup être prise de remords à mon sujet, car elle s'est excusée de m'avoir quelque peu délaissée et a suggéré à Hamato de m'emmener voir le temple de Kyomizu situé un peu en dehors de Kyoto. Il n'a pas paru spécialement enthousiasmé de la corvée qu'on lui imposait et a acquiescé seulement du mouvement de tête japonais qui ne va pas de haut en bas, mais de droite à gauche. C'est dit : nous irons demain.

⁂

1er avril

Nous nous sommes donc hier mis en route, Hamato et moi, pour le Kyomizu. C'est assez loin, surtout de chez mes hôtes qui habitent dans la banlieue de Kyoto, précisément dans la direction opposée. On accède au temple qui est perché sur une colline par une pittoresque petite rue en pente raide, habitée surtout par les marchands de brimborions pieux et d'horoscopes que j'ai acquis l'habitude de voir dans ces lieux surtout fréquentés par les dévots : un Lourdes à la nipponne, en somme, les horoscopes en plus.

Hamato cheminait à côté de moi, aussi muet que ces carpes de carton qu'on suspend traditionnellement à l'extrémité de longues perches le jour de la fête des garçons, devant toutes les maisons où il y a des fils, la carpe étant ici symbole, non de silence, mais de courage et de persévérance. Nous avons atteint le Kyomizu sans avoir échangé un mot. Mais, arrivés au but, je n'ai pu retenir un cri d'admiration devant cet échafaudage véritablement aérien de frêles balcons superposés, donnant sur un impressionnant à-pic où moutonnaient les cimes d'arbres touffus de tous les verts de la palette. C'est vertigineux, mais si beau qu'on n'a pas l'idée d'avoir peur, bien que l'ensemble donne une telle impression de légèreté qu'il paraît devoir s'écrouler ou plutôt s'envoler au moindre souffle de vent. J'étais littéralement en extase et il a fallu que mon enthousiasme déborde.

— Oh ! Hamato, c'est merveilleux, idéal, une vraie demeure pour les dieux ! Les gens ne devraient pas y venir... C'est profaner le céleste.

— Vraiment, vous sentez cela ?

Je crois bien que c'était la première fois que j'entendais le son de sa voix. Elle est un peu gutturale, mais pas désagréable.

— Pourtant, ils viennent en foule. Voyez.

C'était vrai. On se pressait autour de nous : une masse recueillie et silencieuse, surtout des enfants et des femmes à vrai dire, presque toutes vêtues de kimonos aux tons neutres : gris, beige, noisette, rehaussés d'*obis* éclatants qui trahissaient, même chez les plus humbles, un souci de coquetterie.

— Les hommes travaillent. Ce n'est pas jour de congé. Venez voir la cascade.

Derrière ce nid suspendu entre ciel et terre où Dieu doit, me semble-t-il, se plaire, quelle que soit la forme d'adoration qu'on lui voue, une cristalline cascade jaillissait entre des rochers tapissés de mousses.

— L'eau est glacée, mais les pèlerins s'y trempent quand même.

C'était Hamato qui parlait maintenant. Moi, j'étais muette d'admiration. J'avais eu un coup d'œil pour ces femmes insoucieuses de mouiller leur kimono, passant sous le jet irisé, s'y arrêtant quelques secondes pour y pousser leurs enfants qui, en marmots nippons bien dressés, se gardaient bien de crier. Mais la vue de ce temple coiffé de tuiles pervenche, suspendu au bord de l'abîme vert, me fascinait.

— Avez-vous vu, assez vu ? Il serait temps de redescendre à présent ?

Il s'exprimait en un français correct, par phrases courtes qu'il avait certainement du mal à construire et avec un accent déplorable dont il avait conscience et qui devait l'humilier.

— Déjà ? Oh ! Hamato, c'est si beau ! Quelle merveilleuse idée de m'avoir conduite ici !

L'admiration provoquait en moi un besoin d'expansion. A défaut de Kikou, je me suis rabattue sur lui. Tandis que nous redescendions la pieuse côte aux dévotes boutiques, je me suis mise à lui débiter pêle-mêle mes cogitations sur le bouddhisme et le christianisme. Il m'écoutait silencieusement et je pensais qu'il n'avait rien compris à mes considérations philosophico-religieuses assez incohérentes lorsqu'il a fini par me dire, alors que nous montions dans l'autobus :

— Je ne croyais pas les Françaises intéressées par de tels sujets. Je suis surpris de vous entendre.

— Pensiez-vous donc que nous étions complètement stupides ? Puisque je suis l'amie de Kikou, vous deviez bien supposer que j'étais tout de même capable d'aligner quelques idées.

— Elle me l'avait dit, mais je ne l'avais pas cru. Cela ne va pas avec votre visage.

Je supposais que cette constatation allait l'amener à un compliment, ce qui m'amusait déjà, mais il s'est tu. Nous sommes restés debout côte à côte dans l'autobus bondé sans plus échanger une parole. Ce n'est qu'en arrivant à notre rue qu'il m'a dit abruptement :

— Si vous voulez, je vous emmènerai à Nikko. Kikou me l'avait demandé et j'avais refusé. Mais, maintenant, vous me feriez grand plaisir d'accepter.

Quel phénomène, cet Hamato ! Naturellement, j'ai accepté. Pour les Japonais, Nikko est la merveille des merveilles et je grillais d'envie d'y aller.

A la maison, nous avons trouvé Kikou avec son fiancé, Fadahiro Hamabutsu, qu'elle m'a présenté cérémonieusement en me regardant d'un drôle d'air. Il est plutôt moins bien qu'Hamato. Son nez est plus aplati et ses lèvres plus épaisses. Je les ai félicités chaleureusement et ai déploré de ne pouvoir assister à leur mariage puisqu'il ne doit avoir lieu qu'à l'automne et que je serai depuis longtemps rentrée en France.

— Dire que je ne vous verrai pas en mariée, Kikou ! Quelle déveine ! Vous serez encore plus éblouissante pour ce jour de fête, vous qui êtes déjà si jolie !

Hamato et elle ont ri tandis que Fadahiro approuvait, car il paraît très amoureux.

— Je vous enverrai des photos.

— Dites-moi déjà comment vous serez habillée.

— Oh ! en kimono, bien sûr ! Le plus beau que maman pourra se procurer ! Ils sont très chers, vous savez. Souvent, ce sont des héritages familiaux.

Pour le kimono, je l'aurais parié ! Si Kikou est généralement vêtue à l'européenne, d'une jupe et d'une blouse, elle en porte souvent et en a toute une collection, tous plus ravissants les uns que les autres. Elle n'est, du reste, pas la seule ! Si les hommes portent tous le veston européen qui leur va d'ailleurs fort mal, les femmes sont nombreuses à avoir repris le costume national un peu abandonné pendant l'occupation américaine. Mais, ensuite, il a fait un retour en force, en même temps que son prix augmentait considérablement. C'est devenu un snobisme et une preuve d'élégance de le porter car il coûte souvent autant qu'une robe de nos grands couturiers. L'*obi* qu'il exige le renchérit encore. On ne s'imagine pas les sacrifices que peuvent s'imposer les Japonaises pour s'offrir ces somptueuses ceintures, tissées d'or et d'argent, brodées de magnifiques motifs floraux ou de papillons.

— Et la coiffure ?

— Elle sera assez compliquée. Mais surtout, ce qui va vous amuser, je porterai « le cache-cornes ». C'est traditionnel.

— Kikou, vous plaisantez.

— Pas du tout ! C'est un très large bandeau rigide qui a valeur de symbole comme tant de choses chez nous. Il signifie qu'une épouse doit ignorer la jalousie.

J'ai fait la grimace. Notre voile, en France, me paraît de meilleur goût. Néanmoins, je me suis abstenue de commentaires. J'ai seulement encore questionné :

— Et Fadahiro ?

— En jaquette.

Le chapitre toilettes étant épuisé, nous avons parlé d'autres choses. Puis, Kikou a joué du *kôto* (1) et je leur ai chanté des chansons françaises. J'ai constaté que le sentimental est ce qui leur plaît le plus. Cette vieille rengaine mélancolique des *Feuilles mortes,* en particulier, les a charmés.

8 avril

Quelle drôle de journée que celle de Nikko ! Du diable si je m'attendais à l'incident qui l'a terminée... En tête à tête avec mon journal, j'en étouffe de rire avec un peu de remords.

Nikko n'étant pas dans le district de Kyoto, mais dans celui de Tokyo, nous avons dû d'abord, Hamato et moi, gagner la capitale en avion, ce qui a été bref et, ensuite prendre le célèbre Tobu Express antisismique qui est, paraît-il, le train le plus rapide au monde. Il n'y a pas qu'une compagnie de chemins de fer au Japon ; elles sont plusieurs à exploiter chacune son réseau et, donc, à se faire concurrence. Une barrière munie de portillons numérotés divise les quais des gares parallèlement aux voies et la précision avec laquelle chaque voiture s'immobilise au niveau du quai, devant le portillon correspondant à son propre numéro, est extraordinaire. Le portillon ne s'ouvre qu'après la sortie des voyageurs de la voiture pour laisser passer

(1) Sorte de harpe horizontale.

ceux qui y entrent et, ainsi, toute bousculade est évitée. Naturellement, le confort des voitures ne laisse rien à désirer.

Comme je remarquais le contraste des voyageuses vêtues de l'ancestral kimono et des voitures dignes de l'an 2000, Hamato m'a répondu avec un orgueil sentencieux :

— Pour nous, Japonais, aujourd'hui ne signifie rien.

— Ah ? ai-je fait, interloquée.

— Non. Ne nous intéressent qu'hier dont nous voulons demeurer les témoins, et demain dont nous sommes les champions vis-à-vis de vous autres, gens de l'Ouest.

Je n'ai rien répliqué, commençant à me faire à cet orgueil nippon presque pathologique.

Trois allées de gigantesques cryptomérias cinq fois centenaires conduisent au célèbre portique Yoméinon. Avant d'y arriver, Hamato a brusquement rompu le silence pour me dire en balbutiant légèrement :

— Ces temples que vous allez voir... comme je voudrais qu'ils vous plaisent..

— Mais j'en suis sûre d'avance, Hamato !

— Ce serait... comme si vous aviez fait un grand pas vers nous. De la part d'une Occidentale, c'est difficile. Ils sont tellement différents de votre art ! Vous auriez franchi un fossé, si j'ose dire.

— Vous savez combien j'ai aimé le Kyomizu. Alors, pourquoi pas ceux-ci ?

Il n'a pas répondu. Il avait toujours son air impassible mais, en dessous, j'aurais juré qu'il dissimulait une certaine émotion. Et, brusquement, le fameux portique s'est déployé devant nous comme un immense paravent, coiffé d'un toit d'azur aux extravagants retroussis, peuplé d'une profusion démentielle de phénix, de dragons, de chimères revêtus de couleurs qui auraient dû faire hurler et qui charmaient. Derrière, plus sobre, peut-être plus séduisant, une symphonie de noir, de blanc et d'or, le portique Karamon, avec ses piliers de marbre sur lesquels descendent des dragons dorés griffus et cornus. De chaque côté, prolongeant l'édifice, une longue galerie aux adorables fenêtres ovales grillagées d'or elles aussi. J'étais médusée, ayant l'impression d'avoir été subitement transportée dans quelque féerique royaume hors de notre monde si déplorablement prosaïque.

La voix anxieuse d'Hamato, à côté de moi, a rompu le charme.

— Alors ? Vous aimez ?

— Plus que je ne puis dire. C'est... déroutant. Fantasmagorique...

Stimulé par mon enthousiasme, il m'a fait visiter avec un souci scrupuleux de n'en pas omettre un détail tout cet éblouissant ensemble de temples et de pagodes qui compose le sanctuaire Toshogu, sans oublier, bien sûr, l'écurie du cheval sacré dont le fronton porte les trois singes célèbres qui « ne voient pas le mal, ne l'écoutent pas, ne le disent pas ».

— C'est tout différent de Kyomizu, ai-je fini par

m'exclamer, déroutée. Pourtant, c'est japonais aussi ! Alors, pourquoi... ?

Il a paru se concentrer quelques secondes avant de me répondre.

— Nikko, et surtout Yoméinon Gate et Karamon Gate, a reçu le contrecoup de l'influence chinoise très forte sur le Japon au XVIIe siècle. Mais nous ne l'avons pas subie passivement. Elle ne nous a pénétrés que parce qu'alors nous étions prédisposés à l'accueillir. Nous avons repensé cette forme d'art pour la rendre nôtre. Et c'est ainsi que nous avons le droit d'être fiers de Nikko comme du Kyomizu ou du Ryoan-Ji. Bouddhisme et shintoïsme, qui les ont inspirés, reflètent des faces différentes de l'esprit japonais qui n'est pas un, mais multiple dans ses aspects comme la mer qui entoure notre pays.

— Mystérieux aussi, ai-je dit comme malgré moi. Sans doute impénétrable.

— Pour l'Occidental peut-être. Et encore ! La voie s'ouvre devant qui accepte de s'y engager...

Il s'est tu subitement. Et c'est alors que l'invraisemblable s'est produit. Nous étions seuls dans l'allée bordée de vénérables lanternes de pierre qui semblaient autant de jalons plantés par le Temps pour témoigner de la continuité nippone. Brusquement, il s'est courbé vers moi et m'a embrassée sur la bouche, gauchement je dois dire, mais avec une fougue qui m'a laissée pantoise.

— Oh !

J'étais si stupéfaite que je n'ai pas pu protester davantage. Du reste, il s'est redressé très vite avec un embarras presque comique. Il était cramoisi... à la japonaise, c'est-à-dire orange.

— Pardon. Je ne voulais pas... Vous me croyez, n'est-ce pas ? Mais c'est la première fois ! Chez nous, on n'embrasse pas... ou si peu ! Alors, je...

— C'est bon, ai-je dit aussi sèchement que je l'ai pu. Je vous pardonne. Mais n'y revenez pas ! Et rentrons ! Cela vaut mieux.

Et voilà le récit fidèle de notre expédition à Nikko !

CHAPITRE VII

9 avril

Ce matin, Hamato m'a renouvelé ses excuses pour son incorrection d'hier. Il avait vraiment l'air très contrit. Il s'est empêtré dans le peu de français qu'il sait et a dû finalement avoir recours au japonais, mais avec un tel luxe de formules destinées à expliciter son indignité que j'ai fini par n'y plus rien comprendre. Aussi l'ai-je interrompu en luttant contre une terrible envie de rire.

— Ça suffit, Hamato. N'en parlons plus.

— Qu'allez-vous désormais penser de moi ?

— Rien de terrible, je vous assure. Vous avez eu un geste très déplacé, c'est tout. Il n'y a pas à dramatiser. Du moment que vous le déplorez, vos regrets vous méritent l'absolution.

— Vraiment, vous me pardonnez ?

— Mais oui ! Finissons-en, Hamato. Votre mère ou Kikou risquent de survenir et de vous entendre. Ce serait vraiment très gênant pour vous et plus encore pour moi.

Leur arrivée était d'autant plus possible que la scène

se déroulait très prosaïquement dans la cuisine où j'étais venue prendre mon thé matinal, thé vert, amer, mais auquel j'ai fini par m'habituer. A côté de nous, sur la table, des *sashinis,* filets de poisson destinés à être servis crus pour le déjeuner, voisinaient avec le bol de sauce au raifort et au thym qui les accompagnerait. D'avance, j'en avais mal au cœur et je pensais que je les verrais suffisamment quand, découpés en petits morceaux, ils s'achemineraient au bout de mes baguettes, vers mon gosier qui s'en contractait déjà de répulsion ; aussi avais-je hâte de m'en éloigner, leur vue présageant mon futur supplice. Mais Hamato s'obstinait ! Il gémit encore :

— Comment ai-je pu gâcher d'aussi merveilleux moments ! Je n'oserai plus jamais vous demander de m'accompagner.

— Vous ferez bien, ai-je répliqué. Pour l'instant, je n'y suis pas du tout disposée.

Et je suis sortie dignement. Mon Dieu, si on faisait tant d'embarras en France pour un baiser volé, où en serions-nous ! J'ai pensé à tous mes copains qui ne se gênent guère avec les filles et j'ai pouffé dans mon mouchoir, craignant d'être entendue à travers les cloisons de papier qui tiennent lieu de murs. C'est un incident cocasse à noter dans mon journal. Mais je n'en parlerai pas à Kikou, de crainte de l'ennuyer. A quoi bon, d'ailleurs, puisque le coupable est venu à résipiscence !

⁂

TRAITRE EST L'AMOUR

15 avril

Bruit de fond de la rue japonaise : le claquement des *getas* (1) sur les trottoirs. Au son de cet orchestre de castagnettes, je m'en vais à mes cours que j'alterne avec des visites de temples ou de jardins.

Kikou m'accompagne parfois, mais je n'y tiens plus guère désormais. Ou bien nous sommes seules toutes les deux et je devine son désir d'abréger la promenade pour retrouver son fiancé ; ou, alors, il vient avec nous et c'est encore plus désagréable, car je me sens de trop. On sait bien ce que sont les amoureux !

Leur vue me donne le cafard. Non que je sois jalouse. Je suis heureuse, au contraire, du bonheur de Kikou, mais cette entente, cet amour, évident quoiqu'il se dissimule pudiquement à la japonaise, me vaut de mélancoliques retours en arrière. Certes, je n'ai pas connu ce qu'ils sont en train de vivre, mais n'ai-je pas éprouvé la joie que peut dispenser une présence quand elle est celle d'un être vers lequel on se sent invinciblement attirée ? Et si on sait cette joie partagée, tous les anges du Ciel ne doivent-ils pas chanter dans votre cœur ?

Pour le moment, ce que je ressens dans le mien, c'est un manque douloureux que toutes les Kwannons (2), tous les Boddhisattwas (3) du Japon ne sauraient remplir.

(1) Getas : sandales à semelles de bois, chaussures nationales du Japon.
(2) Kwannon : déesse de la miséricorde.
(3) Boddhisattwas : êtres presque parfaits, aspirant au rang de Bouddhas.

Dieu sait si je viens de voir des unes et des autres au Sanjusangendo ou temple des Mille Kwannons Bouddhas. C'est un des plus anciens de Kyoto, mais, est-ce parce que je l'ai visité seule et que les érudites explications d'Hamato manquaient, il ne m'a pas enthousiasmée. La cohorte de ce millier de statues dorées, pratiquement identiques quoiqu'elles soient l'œuvre d'artistes différents, m'a laissée froide. Pourtant, leur visage poupin est apaisant ; leur pose traditionnelle, gracieuse, pour autant que la grâce puisse se concilier avec le hiératisme de leur maintien. A ce bataillon divin qui semble prêt pour une revue, combien j'ai préféré le Kinkaku-Ji ou Pavillon d'Or !

C'est une délicieuse construction qui a l'air du coffret à bijoux de quelque géante déesse qui l'aurait oublié au cours de ses pérégrinations terrestres. Périodiquement redoré, il se mire dans un nostalgique petit étang fleuri de lotus qui lui renvoie si nettement son image que les promeneurs ont l'illusion de voir deux temples au lieu d'un. Des pins, des saules, des bambous, tous arbres typiquement japonais, lui forment comme un anneau dont il serait le chaton.

Des camarades de cours, deux Français avec qui j'étais venue, bavardaient, plaisantaient, comparant les mérites culinaires de leurs pensions respectives et les charmes des geishas qu'ils avaient entr'aperçues, alors que j'aurais voulu me recueillir tellement j'étais sensible à la poésie du lieu. Ils m'ont fait regretter le Hamato d'avant le baiser. Au moins, s'il se taisait, on devinait son mutisme chargé de compréhension et de respect ; et, quand il parlait, c'était pour dire des choses intéressantes, en accord avec l'harmonie ou l'histoire du lieu. Au dîner, quand Kikou m'a demandé si le Kinkaku-Ji m'avait plu, j'ai, bien sûr, répondu affirmativement, mais j'ai critiqué étourdiment l'attitude de mes compatriotes moins saisis que moi par son charme.

Kikou a eu un petit rire :

— Tous les Français ne sont pas si réceptifs que vous, Géraldine. La beauté de nos sites leur échappe souvent et ils ne se donnent pas la peine de chercher à comprendre le symbolisme de l'architecture compliquée de nos temples. Du Japon, les frappent surtout le côté folklorique — kimonos, geishas, tatamis — et la cuisine qui les surprend toujours, les rebute souvent. Mais aussi, pourquoi vous encombrer de compagnons aussi résolument Occidentaux alors qu'Hamato ne demande pas mieux que de sortir avec vous ? N'est-il pas vrai, Hamato ?

Il a plongé son nez un peu camus dans le bol de soupe où flottaient des algues, des pétales de chrysanthèmes, des pousses de bambou, des graines de soja, et a proféré quelques mots confus d'où l'on pouvait déduire qu'il ne voulait pas s'imposer, ayant peur de m'ennuyer.

J'ai bien été obligée de protester. Au fond, l'incident du baiser est déjà loin et, puisqu'il en a manifesté tant de regret, je serais bien bête de lui en garder rancune. Du reste, Kikou a continué :

— Vous n'avez pas encore vu notre vénéré seigneur, le Fuji. — Tous les Japonais bon teint emploient volontiers des formules respectueuses quand il s'agit de leur montagne sacrée. — C'est impardonnable. Vous ne connaissez pas non plus notre Parc national de Hakone. On lui a consacré tout un district. En ce moment, les azalées doivent être en pleine floraison. Vous ne pouvez pas vous faire une idée de leur splendeur, Géraldine. Je vous assure qu'elles n'ont rien de commun avec les petits arbustes forcés, rachitiques, qu'on vous vend en France au prix de l'or. Les deux excursions ; le Fuji et Hakone, peuvent très bien se combiner. Vous devriez les faire dimanche.

Hamato est resté muet. C'était à moi de parler. J'ai entrevu la solution :

— C'est une très bonne idée, en effet, Kikou. Bien entendu, vous serez de la partie. Et Fadahiro aussi.

— Malheureusement, ce sera impossible. Fadahiro doit m'emmener faire la connaissance de membres de ma future belle-famille, auxquels je n'ai pas encore été présentée. J'étais ennuyée de vous abandonner. Mais, si vous allez à Hakone et au Fuji, cela m'ôte des regrets... Eh bien, Hamato, tu ne dis rien ?

Il s'est interrompu de brouter ses algues et a dit avec gêne :

— Si Ladiné-San est d'accord, je serais très heureux.

Perle de Rosée a approuvé, elle aussi. Je crois qu'elle a des projets de son côté. Décidément, l'absence d'Hamato et la mienne arrange tout le monde. Cette expédition me sourit. Je n'avais pas très envie d'entreprendre seule l'ascension du Fuji et la floraison des azalées doit être un spectacle à ne pas manquer. Après les excuses d'Hamato, une nouvelle incartade physicosentimentale de sa part est peu à redouter. Ne me suis-je pas d'ailleurs aguerrie avec Jean-Marc, Guy-Luc et tous mes copains ? Or, en ce temps-là, j'étais tentée de jouer à ces jeux à fleur de peau, à fleur de cœur qui, on le prétend, apportent l'oubli ; ce que je n'ai jamais constaté puisque tous ces flirts, plus ou moins poussés, ne m'ont laissé que dégoût, remords, et le prompt retour de ma peine, exacerbée, semblait-il, par ce bref instant où j'avais cru la déposer comme un manteau au vestiaire avant la fête.

Maintenant, il en va autrement. Effet du dépaysement sans doute, espéré par quelqu'un de singulièrement intuitif : une brume légère voile mon chagrin, mes rancœurs. Et l'absence de ce quelqu'un, auquel je ne cesse de penser, me tient bizarrement lieu de sauvegarde.

— Irons-nous par le train ou en voiture ? ai-je seulement demandé.

— Par le train vous iriez plus vite. Nos routes sont si encombrées.

— Oui, a rétorqué Hamato, mais nous serions prisonniers des horaires. La voiture serait plus pratique. Les parkings ne manquent pas au pied du Fuji tandis que la gare en est assez loin. En empruntant la Toll Express Way, je pense, au contraire, que nous gagnerons du temps. Et puis Ladiné-San jouirait peut-être mieux du paysage.

Ce dernier argument l'a emporté. C'est dit : nous partirons avec la Toyota.

⁂

20 avril

Eh bien, je ne suis pas près d'oublier mon expédition à Hakone et au Fuji ! D'Hakone, je garderai, certes, un merveilleux souvenir, mais du Fuji...

Nous nous sommes donc mis en route aux aurores, Hamato et moi, car, malgré les dires de Kikou, c'était un peu fou de prévoir le même jour les deux excursions. Perle de Rosée nous avait amplement pourvus des inévitables *bentos* (1) pour un pique-nique, peut-être deux, puisque notre retour pouvait être tardif. Le temps était exquis : un ciel de nacre qui, doucement, a viré au jade avant de se nuancer d'un corail pâle devenu peu à peu plus soutenu.

— Vous parlez, je crois, de l'Aurore aux doigts de rose, a remarqué Hamato en s'installant au volant, le plus loin possible de moi. Nous, nous disons : « Les joues d'Amateratsu ». Vous savez que c'est la déesse du Soleil. Elle est toujours représentée avec son coq sacré dont les torii des temples shintos rappellent le perchoir.

— Alors nous aurons beau temps ?

— Probablement. Quoique le teint de la déesse soit parfois trompeur. De toute façon, avec la voiture, nous aurons toujours un toit pour nous abriter.

Jugeant en avoir assez dit pour un moment, il s'est tu. Il avait repris son air guindé des premiers jours de mon arrivée et son silence a duré si long-

(1) Bentos : Boulettes de riz enveloppées de poisson fumé ou d'une feuille d'algue sèche que consomment tous les Japonais à l'heure de la pause.

temps qu'il a fini par m'impatienter. Je n'allais tout de même pas passer ma journée en compagnie d'un muet. C'est donc moi qui ai entamé la conversation :

— Amateratsu, avez-vous dit tout à l'heure... Ne vous en considérez-vous pas comme les descendants, vous tous, Japonais ?

Il s'est un peu dégelé pour me répondre :

— En quelque sorte, oui. Une espèce de culte d'Etat lui est rendu. Les ministres et l'empereur lui-même viennent dans son sanctuaire informer officiellement Amateratsu de tout événement national. Et, si les deux premiers emblèmes de la puissance et de la légitimité impériales sont le joyau qui orne la coiffure de l'empereur au jour de son couronnement et l'épée que, prétend-on, recélait la queue d'un dragon et qu'il doit ceindre ce jour-là, le troisième est le miroir d'Amateratsu.

— Un miroir ? Quelle coquetterie de la part d'une déesse !

— Il a trait à une légende.

Du fait que je le questionnais, il a dû conclure que je ne lui en voulais plus. Néanmoins, c'est encore avec une certaine timidité qu'il m'a proposé.

— Voulez-vous que je vous la raconte ?

— Bien volontiers. Je vous écoute.

— Eh bien, Amateratsu a pour frère Susa-No-O, le dieu de la Lune et du Vent. Pour taquiner sa sœur, il s'est amusé, un jour, à lui jeter au visage tous les nuages qu'elle avait soigneusement écartés. Amateratsu s'est fâchée et s'en est allée bouder dans une grotte, laissant le monde plongé dans la nuit. La consternation a été générale parmi les hommes et parmi les dieux et ceux-ci ont cherché un moyen de l'apaiser et de la faire sortir de sa retraite. Alors, ils ont planté devant l'issue, des sakakis, ces arbustes toujours verts, les ont ornés de miroirs et d'écharpes ; les jeunes déesses ont dansé au son des *shamisens* (1) et tous ont mené si grand tapage qu'Amateratsu, intriguée, a entrouvert sa porte. On lui a présenté alors un miroir magique. Ne s'y étant pas reconnue, elle a poussé un cri d'effroi devant cette éblouissante rivale, inopinément surgie. Mais on s'est empressé de la rassurer : « Ta rivale, c'est toi-même, ô Amateratsu ! De beauté semblable à la tienne, il ne saurait y en avoir. De grâce, n'en prive plus la terre et les cieux. O Amateratsu ! reparais parmi nous. »

Flattée, Amateratsu est sortie de sa grotte et le monde a retrouvé la lumière. Voilà la légende et l'explication du miroir sacré. Et aussi, celle du bouquet de sakaki, offrande et religieuse et rameau purificateur que vous avez peut-être vu apporter dans les temples shintos.

En effet, j'avais remarqué que des fidèles déposaient aux pieds des divinités ces agrestes bouquets de feuillages, mais Kikou ne m'en avait pas fourni l'explication. Il fallait Hamato pour m'instruire.

— C'est très charmant, dis-je avec conviction. Vous contez très bien... Oh ! Hamato, méfiez-vous... La police de la route est là.

Nous montions une côte à très vive allure et, à son

(1) Shamisen : sorte de guitare.

sommet, j'avais aperçu, demi embusqué derrière un buisson, une silhouette redoutée au Japon comme en France quand on n'est pas en règle.

Hamato freina, mais pour reprendre sa vitesse initiale presque aussitôt, avec un petit rire.

— Je le connais, cet épouvantail. Avant-hier, il était déjà là. Mais, demain ou après-demain, on le déplacera et on le remplacera peut-être par un véritable policier. On le mettra ailleurs et, de nouveau, il remplira son rôle : effrayer les automobilistes, les inciter à ralentir. Notre police de la route est insuffisante par rapport à l'intensité de la circulation. Alors, on a eu l'idée de ce subterfuge pour doubler les effectifs, du moins en apparence. Il paraît que les résultats sont bons. Mais nous approchons du Kamakura. Un salut au Daïbutsu puis nous filons sur Hakone. Nous avons bien roulé.

⁂

Le grand Bouddha de Kamakura : il est gigantesque, près de quinze mètres de haut et pourtant harmonieux. Perdu dans un songe éternel, de ses yeux mi-clos, il contemple avec mansuétude la foule des pèlerins recueillis au bas du piédestal de lotus où il trône, en plein air maintenant alors que, jadis, un temple proportionné à sa taille l'abritait. Mais les cataclysmes, les incendies, les typhons, ont eu raison des bâtiments tandis que la statue demeurait, protégée par les dieux, qui sait ? Me hasarderai-je à l'invoquer ? N'y a-t-il pas au fond de mon cœur un souhait constant dont je sais, hélas, combien il a peu de chance de se réaliser ? Oh ! l'acuité de cette sensation de vide que peut créer une absence et l'intensité folle du désir de voir réapparaître celui qui le cause !

J'étais une fois de plus partie à rêver. Je me suis secouée.

— Ce n'est pas le moment des typhons, n'est-ce pas, Hamato ? Je ne risque pas d'en subir un pendant mon séjour au Japon ?

— Il n'y a pas de saison pour les typhons. Ils naissent à l'improviste, très loin, souvent au-delà des Kouriles, mais la météo les détecte suffisamment à temps. Ils font moins de victimes à présent.

Hamato était presque à l'aise maintenant. Quand la voiture a pénétré dans le Parc national de Hakone, nous étions, l'un et l'autre, détendus. D'ailleurs, ma conversation s'est vite limitée à des exclamations admiratives dès que j'ai commencé d'apercevoir les azalées.

Par endroits, leurs buissons somptueux constituaient de véritables champs à travers lesquels des sentiers trouvaient difficilement la place de serpenter. Leurs feuilles disparaissaient sous la profusion de fleurs d'une incroyable variété de coloris : blanc, écarlate, violet, pourpre, saumon, rose, carmin, de tous les tons, de toutes les sortes. Leur taille — un à deux mètres — leur robustesse, défiant l'imagination, n'étaient en rien comparable à celles des nôtres sur lesquels s'était exercée l'ironie de Kikou. J'avais l'impression d'une féerique forêt miniature où chaque arbre croulerait sous les fleurs pour la joie visuelle de quelque reine Mab nippone.

Nous avions abandonné la voiture et, emportant les *bentos,* nous nous sommes promenés longtemps. J'avais complètement oublié qu'on venait à Hakone, non seulement pour ses fleurs et pour son lac qui scintillait en contrebas, mais aussi pour la vue extraordinaire qu'on y découvre du Fuji. Tout à coup, je m'en suis souvenue.

— Et le Fuji... ? Où est-il ?

Hamato m'a désigné un point à l'horizon.

— Là-bas. Dans la brume.

— Alors nous ne le verrons pas ?

— Peut-être pas maintenant. Il n'est pas toujours visible d'Hakone. Mais quand il apparaît, c'est une vision prodigieuse. En tout cas, vous le verrez forcément puisque nous allons y monter tout à l'heure.

— Mais c'est d'ici que je voulais le voir, se reflétant dans le lac !

— Eh bien, patientons. Nous allons pique-niquer en attendant.

Nous avons donc attaqué nos *bentos*. Et, tout à coup, Hamato a crié :

— Le Fuji ! Là ! Regardez !

Les nuages s'étaient brusquement déchirés et le cône parfait du Fuji-San — le seigneur Fuji — se détachait, neigeux, sur un pan d'azur d'une pureté idéale.

— Et son reflet... Voyez...

Dans le lac, un deuxième Fuji s'allongeait, légèrement dévié par un curieux phénomène d'optique. Le spectacle, quoique banalisé par tant de peintures sur soie, sur laque, tant de photos et de cartes postales, n'en demeurait pas moins d'une majesté merveilleuse et inoubliable.

— Je comprends que vos ancêtres aient déifié le Fuji, qu'ils en aient fait une montagne sacrée.

— Maintenant, nous allons l'approcher.

Nous sommes donc remontés en voiture et c'est alors que j'ai eu le pressentiment confus que l'excursion n'allait peut-être pas entièrement se dérouler aussi bien qu'elle avait commencé. Hamato m'avait aidée à monter avant de prendre place à son tour sur son siège et j'ai eu la nette impression qu'il s'asseyait plus près de moi qu'auparavant. Je n'ai rien dit et me suis bornée à me reculer discrètement. Nous avons commencé d'attaquer la route en lacets qui, d'Hakone, conduit au pied du Fuji. Hamato était redevenu silencieux, mais son teint citron s'était coloré et, de sa personne, se dégageait une vague odeur de saké. Pourtant, à notre pique-nique, nous nous étions désaltérés avec une thermos de thé. Fallait-il admettre qu'il en avait dissimulé une gourde dans son havresac et avait bu à la dérobée pendant un moment où j'étais allée seule revoir encore mes chères azalées ? Ç'eût été tout de même assez surprenant, car, si les Japonais usent et abusent du saké, Kikou m'a toujours cité son frère comme un modèle de sobriété. Naturellement, j'ai gardé pour moi mon impression et me suis bornée à baisser la vitre. D'ailleurs, il faisait tout à coup très chaud, une chaleur humide, traversée de quelques rafales de vent qui m'ont bientôt obligée à la refermer.

Hamato conduisait de nouveau assez vite et nous sommes rapidement arrivés en vue des pancartes avertissant les futurs ascensionnistes d'avoir à laisser là leurs véhicules pour continuer à pied l'escalade. L'inévitable buvette se trouvait à côté des poteaux qui les supportaient et Hamato m'a proposé d'aller m'y rafraîchir.

— Certes non. La thermos est grande et j'ai eu amplement de quoi me désaltérer.

— Vous peut-être, mais elle est vide maintenant et j'ai encore soif.

— Vous allez vous couper les jambes à tant boire.

Il est parti sans en écouter davantage et, quand il est revenu, il sentait encore davantage le saké. Nous avons attaqué allégrement la grimpée, stimulés par la musique que s'est mis à nous déverser le petit appareil à transistors qu'il a toujours dans la poche de sa veste. La montée est rude, mais possible, même pour des alpinistes non chevronnés. Nous avons marché ainsi un bon moment, mais, à plusieurs reprises, il a voulu me prendre par le bras ou l'épaule, pour me faciliter l'escalade me disait-il et, à chaque fois, je me suis dérobée. Il s'est plaint :

— Laissez-moi vous aider, Ladiné-San. Nous ne sommes pas encore rendus et la montée est difficile. Je suis plus entraîné que vous.

— Vous voyez bien que je me débrouille parfaitement. J'ai fait de la montagne en France. Pas si haute que le Fuji, bien sûr, mais suffisamment pour savoir utiliser mes pieds. Quant à mes poumons, ce sont de bons serviteurs.

Malgré ce que j'en disais, mon attention était assez accaparée pour m'empêcher de remarquer l'étrange couleur que prenait le ciel. Soudain, ce fut la pluie.

— Que faisons-nous ? ai-je tout de même demandé. On rebrousse chemin ?

— Marchons plutôt. Il n'y a pas loin d'ici une cabane qui sert de refuge en cas de mauvais temps. Elle est plus proche de nous que la voiture. Nous allons nous y abriter en attendant la fin de l'averse. La pluie ne va sans doute pas durer.

Nous avons donc poursuivi notre montée sous l'averse qui redoublait. Au lieu de me précéder comme auparavant, Hamato me suivait, et même avec quelque difficulté. Et, tout à coup, l'acide mélodie nippone que nous distillait le transistor, s'est arrêtée net :

« Abunaï-Yo, abunaï-yo ! (Attention !) »

Nous nous sommes immobilisés. Le transistor a repris :

« Typhon signalé pour 16 h 20 Tokyo ; 16 h 30 Fuji. Abunaï-Yo. »

Saisie de frayeur, j'ai oublié pendant une minute la pluie qui m'aveuglait et pénétrait à l'intérieur de ma blouse par l'échancrure du col :

— Un typhon ! Dieu du Ciel ! Hamato, vous avez entendu... ? Qu'allons-nous devenir ?

Stupidement, il s'était mis à rire.

— Vous parliez de typhon tout à l'heure. Vous avez indisposé les dieux.

Ma panique augmentait.

— Hamato, ne plaisantez pas, de grâce ! Que faire ?

— Ce que je vous ai dit : gagner la cabane.

Il a jeté un coup d'œil sur le cadran ruisselant de sa montre :

— Nous avons dix minutes. Juste le temps !

C'était maintenant une pluie diluvienne qui tombait, presque horizontalement, fouettée par un vent qui la couchait en soufflant en tornade et semblait se déchaîner davantage de minute en minute. L'air était moite, étouffant. J'étais déjà complètement trempée. Geste qui plaide en sa faveur : il a jeté sa veste sur mes épaules.

— Où est la cabane, mon Dieu ? Loin encore ?

— Par ici. Au croisement, le sentier de droite.

Je me suis mise à courir, trébuchant, me tordant les pieds. Il en a fait autant en titubant. Il a même glissé et s'est étalé de tout son long. Le rideau de pluie se faisait si opaque que c'est à peine si j'ai entrevu le sentier à prendre. Le typhon allait-il nous gagner de vitesse ? Dieu, qu'elle m'a paru éloignée, cette cabane... Et je n'étais pas au bout de mon aventure !

Enfin, nous l'avons aperçue, devinée plutôt. Je m'y suis précipitée. Il s'y est jeté derrière moi et a tiré la porte. De nouveau il a regardé sa montre :

— 16 h 31 ! Il est à l'heure, a-t-il dit avec un sourire que j'ai trouvé idiot. Notre météo est vraiment formidable.

Je m'ébrouais comme un chien qui sort d'une mare. « Enfin tirés d'affaire ! » pensais-je en poussant des soupirs de satisfaction. Mais je ne prévoyais pas la suite...

La cabane était toute petite, une logette de rien du tout. Nous étions pratiquement l'un contre l'autre. Mon Hamato s'est mis à glousser d'aise en humant sa veste que je lui avais rendue.

— Oh ! Ladiné-San ! Elle sent votre parfum ! Ladiné-San ! Les dieux ont voulu nous éprouver en entravant notre excursion, mais, maintenant, ils nous dédommagent ! Oh ! Ladiné, quelle faveur de vous avoir si près de moi !

Et il a voulu me prendre dans ses bras. Je me suis débattue.

— Laissez-moi, Hamato. Vous n'allez pas recommencer comme à Nikko... Vous m'aviez pourtant promis...

— Je ne ferai rien sans votre permission. Oh ! Ladiné-San, laissez-moi vous embrasser ! Un baiser, rien qu'un baiser ! C'était si bon l'autre fois ! Maintenant, je saurai mieux : ce sera encore meilleur !

Il me serrait contre lui, empestant le saké. On entendait la pluie crépiter contre les planches de la bicoque avec fureur comme si elle allait les jeter bas. Un vrai tir de mitrailleuses ! Le typhon était sur nous !

— Non, non, Hamato, je ne veux pas !

Je l'ai giflé aussi fort que je l'ai pu, mais il a tenté de m'immobiliser les bras. Alors, d'une secousse où j'ai mis toute ma force, je me suis dégagée et, sans réfléchir, je me suis ruée dehors.

Je l'ai entendu crier : « Ladiné-San, Ladiné-San, vous êtes folle ! Revenez ! Je ne vous toucherai pas, je vous jure ! » Mais j'étais lancée ! Les cailloux dévalaient sous mes pas. La pluie, le vent, ont étouffé ses appels. Il a dû essayer de me rattraper, mais le saké, qui avait eu raison de son bon sens, entravait sa course.

⁂

J'ai couru ainsi au hasard, ayant juste assez de jugement pour descendre au lieu de monter. Les trombes d'eau qui se déversaient sur moi, m'aveuglaient, m'asphyxiaient. Et puis, elles se sont faites un peu moins violentes, j'ai entrevu le salut : une maisonnette de paysans ! Il était temps, je n'en pouvais plus. J'avais perdu un de mes souliers. Mes cheveux, mes vêtements, ruisselaient. Je devais avoir l'air d'une noyée.

J'ai frappé à la porte et, comme elle tardait à s'ouvrir, j'ai tambouriné de mes poings. Elle a fini par s'entrebaîller et j'ai eu une seconde d'ahurissement en voyant apparaître une jeune fille uniquement vêtue d'une serviette éponge qu'elle se drapait autour des reins. Puis j'ai réalisé que ce devait être le moment du *furo* — ce bain bouillant quotidien que prend collectivement toute famille japonaise. Voilà pourquoi on avait tardé à m'ouvrir !

— *Dozo, dozo.* Je vous en prie, entrez vite.

Elle m'a entraînée à l'intérieur de la maisonnette, dans un étroit couloir où elle a commencé de me déshabiller tandis qu'une flaque d'eau se formait à mes pieds.

— Prise dans le typhon ! Quelle malchance ! Vous l'avez échappé belle en trouvant notre maison. Quelquefois, cela tourne mal pour les gens qui ne peuvent pas se réfugier à temps quelque part.

Tout en parlant, elle me frottait vigoureusement avec des serviettes bien rêches qu'elle était allée chercher. Sa mère, intriguée, est apparue, en costume également sommaire, et s'est mise en devoir de lui prêter main forte.

— Vous devriez prendre un bain pour achever de vous remettre, a-t-elle suggéré. Le furo est bien chaud. Mon mari est dedans avec notre fils et ma cadette.

Seigneur, il n'aurait plus manqué que cette baignade en commun pour compléter mes péripéties de la journée ! Je sais bien que la pudeur japonaise est déroutante et que si, vêtus, ils se montrent — exception faite d'Hamato — d'une extrême correction, le bain familial ne les choque aucunement. On se savonne individuellement. Après quoi, on se rince à l'aide d'un petit baquet de bois et, ensuite, tout le monde se retrouve dans une cuve assez profonde. Chez les Suzumura, on ne me l'a pas proposé, Kikou étant suffisamment au fait des mœurs occidentales pour me laisser toujours utiliser seule la salle de bains. Je ne suis pas encore « tatamisée » au point de participer à cette trempette générale. J'ai donc décliné l'offre avec toute la courtoisie possible, tout en dissimulant une violente envie de rire, mais, par contre, j'ai volontiers accepté le thé qu'on me conseillait également de prendre. A l'abri, à la fois du typhon et des entreprises d'Hamato, revigorée par l'énergique friction que me faisaient subir mes hôtesses, je me sentais revivre.

— Ina va vous prêter un kimono pendant que vos vêtements vont sécher. Venez prendre votre thé.

Elles se sont effacées en multipliant les courbettes et les *dozo* pour me faire pénétrer dans l'unique pièce de la maisonnette dont je ne risquais plus à présent de souiller les éblouissants tatamis. Sur ces entrefaites, toute la famille était sortie du *furo*. Père, fils et fillette ont rivalisé de prévenances et d'amabilité. Cette dernière est allée me chercher des *getas,* car j'étais pieds nus, ayant abandonné dans l'entrée mon unique soulier. Puis j'ai commencé à m'inquiéter de mon retour.

— C'est très simple. Samiho va vous conduire à la gare de Hakone sur sa Honda. Vous vous installerez sur le tan-sad. La gare est toute proche.

— Mais... le typhon... ?

— Il est en train de s'éloigner. Voyez vous-même.

La fillette a retiré les stores qui voilaient les *shoji* (1) et j'ai pu constater que la pluie avait diminué d'intensité et que le vent s'apaisait.

— Tout petit typhon, a dit avec un large sourire le père qui était allé écouter la radio pendant que je buvais mon thé. Seulement neuf morts à l'île de Kyushû ! Ici, nous n'en avons eu que la queue !

Ah ! ces Japonais !

Une heure plus tard, sur le quai de la gare d'Hakone où m'avait déposée le fils de mes aimables hôtes, j'ai

(1) Shoji : fenêtres.

vu surgir un Hamato échevelé, trempé, manifestement dans tous ses états.

— Oh ! Ladiné-San, vous êtes saine et sauve ! Depuis plus de deux heures, je cours à votre recherche. Quel souci vous m'avez fait faire !

— Bien par votre faute, ai-je dit froidement. Cela aura eu du moins le bon côté de vous faire cuver votre saké.

— Ladiné-San, vous vous êtes alarmée sans motif, je vous jure. Je ne quêtais qu'un baiser. C'est pour avoir le courage de vous le demander que j'ai bu un peu trop de saké. J'ai eu tort, immensément tort. Je suis désespéré. La peur que j'ai eue a déjà été un châtiment... Je vous ai crue au fond d'un ravin, noyée, assommée, morte. Le remords m'écrase.

— Il y a de quoi, ai-je coupé car le train apparaissait à l'extrémité de la voie. Bonsoir !

— Mais, Ladiné-San, ma voiture est là ! Pourquoi prendre le train ?

— Vous ne pensez tout de même pas, après ce qui s'est passé, que vous allez me ramener jusqu'à Kyoto alors que j'ai perdu toute confiance en vous ?

— Au moins, permettez-moi de vous attendre à la gare de Kyoto ?

— Même pas ! Je prendrai un taxi. Adieu !

Le train s'arrêtait au niveau du quai. J'ai pénétré dans la voiture. Le convoi s'est ébranlé et Hamato est resté à le regarder s'éloigner, courbé comme si la honte et son désespoir pesaient lourdement sur son dos.

Nous nous sommes retrouvés au seuil des Suzumura. J'avais sauté du train dans un taxi et mon retour s'était effectué sans incident. Mais il était tard ! Dans le ciel nettoyé, les étoiles brillaient.

— Je pense que cela vous arrangera que je passe sous silence votre conduite, lui ai-je dit. Par égard pour votre mère et pour Kikou, je me tairai. Je parlerai seulement du typhon qui nous a empêchés de monter au Fuji.

— Merci, Ladiné-San, a-t-il dit humblement.

CHAPITRE VIII

9 mai

La possibilité d'un changement dans ma vie japonaise, se présente à mon esprit : j'envisage très sérieusement de quitter les Suzumura.

10 mai

On ne peut tout de même pas dire que j'en sois arrivée là subitement. Voilà une bonne quinzaine que je patiente depuis notre équipée du Fuji ! Pour ne pas gêner Kikou, j'ai gardé le secret sur les extravagances de son frère, mais je crois, en définitive, que j'ai eu tort. Je crains d'être obligée de lui en parler, quitte à les atténuer d'ailleurs.

Naturellement, le lendemain de cette sotte histoire, il m'a joué de nouveau la scène du repentir. Cette fois, elle ne s'est pas déroulée dans la cuisine, mais dans le jardinet. Il avait bien choisi son moment : c'était au tour de Perle de Rosée d'être dans la cuisine et Kikou était sortie. Depuis notre retour, je ne l'avais pas aperçu. Les yeux gonflés, le teint bilieux, il est apparu alors que, mes pensées toutes dédiées à un autre, je nourrissais distraitement les poissons rouges du petit bassin.

La nuit avait dû encore aviver ses remords, car toute sa figure donnait à croire que le seul châtiment proportionné à sa faute lui paraissait être, non plus le harakiri — la chose et le mot ayant pratiquement disparu — mais le *seppuku :* nouveau terme correspondant à une manière plus moderne de se supprimer. Au lieu de s'ouvrir le ventre, privilège des guerriers, on a tout bêtement recours au revolver. C'est moins folklorique mais plus commode. Les jeunes le font assez volontiers, dit-on. On se suicide beaucoup au Japon, à ce qu'on prétend.

Il s'est courbé jusqu'à mes pieds :

— Ladiné-San, comment puis-je oser encore me présenter à vos yeux ?

— Je me le demande, ai-je répondu sarcastique.

— J'ai perdu la face devant vous. Je me suis comporté comme une brute. C'est ce maudit saké qui en est cause. Je vous ai effrayée alors que c'était si loin de ma pensée. C'est tout mon pays que j'ai déshonoré en ma personne. Je suis un être vil, un misérable...

— Vous êtes surtout un individu sans parole. Après ce que vous m'aviez promis, je croyais pouvoir vous faire confiance. Vous m'avez indignement trompée. Votre pays n'a rien à voir là-dedans. C'est vous seul qui êtes en cause.

— Ladiné-San, si vous saviez... si j'osais vous dire...

— Ne dites rien, car je ne veux rien savoir.

— Ladiné-San, c'est terrible, mais je vous aime... Ma vie est à vous. Je mourrais pour vous le prouver. Que voulez-vous de moi ?

— Que vous cessiez de m'importuner ! Et que vous ne fassiez surtout pas d'excentricités !

Avec la facilité des jeunes à jouer du revolver ici, je prenais peur. Grand Dieu, je ne suis pas venue au Japon pour y causer des drames. J'ai donc conclu fermement :

— Je vous adjure d'être raisonnable. Si vous ne pensez ni à votre mère ni à votre sœur, moi, j'y pense.

— Je n'ose pas espérer que vous puissiez, un jour, oublier ma conduite et me pardonner.

— Oublier ? Non... Quant à un pardon... ? Ce sera la deuxième fois, Hamato. Il n'y en aura pas une troisième. Tenez-vous-le pour dit. Maintenant, laissez-moi en repos.

Et je suis allée aider Perle de Rosée à préparer les légumes du *sukuyaki* — autrement dit, du pot-au-feu, le plat de luxe des Japonais car la viande est hors de prix.

⁂

13 mai

J'avais parlé sans colère, voulant ménager son émotivité, mais catégoriquement. Je me croyais tranquille désormais : « Il aura compris », me disais-je. Je me trompais. Décidément, les Japonais sont tenaces. S'imaginant sans doute me prouver ainsi l'intensité de sa flamme et arriver à me conquérir, Hamato, décidément incorrigible, a essayé une autre tactique.

Il s'est mis d'abord à me dévorer des yeux d'une manière qui me tapait violemment sur les nerfs. Et comment protester ? C'est difficile de reprocher à quelqu'un ses regards, si appuyés soient-ils. L'œil humide, la paupière fixe, ils me donnaient l'impression d'être collants, gluants. J'ai donc fait semblant de les ignorer, mais s'y sont ajoutés des gestes furtifs, ma main saisie dans la pénombre, ma taille frôlée avec insistance. A deux reprises, je lui ai tapé sur les doigts en lui enjoignant de cesser. En désespoir de cause, je me suis ouverte à Kikou. Elle ne s'est pas dérobée.

— Il est très amoureux de vous, a-t-elle convenu en fronçant l'arc de ses ravissants sourcils. Voilà déjà quelque temps que je m'en doutais. Vous lui avez révélé la Française. Vous êtes très jolie, Géraldine, même pour un Japonais qui a pourtant un autre canon de la beauté qu'un Européen. Votre charme est très différent du nôtre. Votre comportement l'augmente encore. Vous êtes primesautière, piquante. Alors, l'attrait de la nouveauté aidant, ce pauvre Hamato a pris feu... C'est très contrariant. Il aura du mal maintenant à s'accommoder d'une Japonaise. Ou, alors...

J'ai bondi.

— Vous n'envisagez tout de même pas que je l'épouse ?

— Il n'a pas osé vous le proposer, mais il le désire ardemment. Pourquoi non ? Il y a des unions nippo-françaises qui se sont révélées très heureuses. Et, puisque vous ne vous supportez pas chez votre père...

— Non, non, mille fois non. Je vous aime infiniment, Kikou, vous êtes pour moi une amie très chère. Mais épouser Hamato, jamais !

Moi, mariée à Hamato, Dieu du Ciel ! Plutôt exaucer le vague souhait de Guerrand, encore informulé mais dont je pressens l'éclosion ! Oh ! Jean, que n'êtes-vous là pour m'aider à sortir d'un pareil guêpier ! Vous m'y avez précipitée et, maintenant que je suis à des milliers de kilomètres, vous souvenez-vous encore de moi ?

En dedans, je criais vers lui en même temps que vers maman. Je les suppliais mentalement de venir à mon secours. M'adresser à un absent et à une morte, oh ! folie ! N'empêche, leur évocation m'a permis de me ressaisir.

Kikou se tenait devant moi, soucieuse, les mains perdues dans les vastes manches de son kimono, compréhensive peut-être mais surtout prise au piège de ses sentiments fraternels.

— Laissez passer quelque temps, a-t-elle conseillé. Votre départ n'est plus tellement éloigné. Je suis un peu responsable de ce qui arrive, Géraldine, et vous m'en voyez désolée. Je réclame votre indulgence, car j'aurais dû m'occuper de vous davantage au lieu de vous confier à Hamato. Mais, avec mes fiançailles, je ne pouvais vraiment pas ! Evidemment, il s'y est mal pris avec vous ; il a été maladroit. L'excès de ses sentiments l'a desservi. Mais c'est un garçon sûr ! Celle qu'il épousera sera heureuse.

— J'en suis persuadée, Kikou. Mais, néanmoins, ce ne sera pas moi ! Faites-le-lui comprendre, je vous en prie au nom de notre amitié. Et je vais faire en sorte qu'il me voie moins.

⁂

15 mai

Il est bien évident que, dans ces conditions, quitter la maison des Suzumura s'impose. Entre Kikou, pleine de bonnes intentions mais accaparée par son fiancé, et Hamato, exaspérant, absurdement amoureux, la vie n'y est vraiment plus possible pour moi.

Il a très mal pris mon refus de répondre à ses vœux. Ou, peut-être, Kikou ne s'est-elle pas montrée assez catégorique... ? Bref, il est revenu à la charge et, cette fois, très explicitement. Il m'a priée, suppliée, en français et en japonais, de l'épouser. C'était risible mais son insistance finissait par tourner à la persécution. Les trois mois d'études accordés par le Centre Franco-Japonais ne s'achèvent que dans quinze jours. Trouver un gîte pour ce peu de temps ne sera sans doute pas difficile. Un peu onéreux peut-être, car la vie est chère au Japon et je mets un point d'honneur à ne pas demander d'argent à papa qui ne me le refuserait pas, quoiqu'il ait été passablement hostile à ce voyage lointain. Trois mois hors de la maison ! Dire que cela me paraissait si long et voilà que j'en entrevois déjà la fin !

Le retour, cela signifie reprendre ma vie hérissée d'aspérités et d'embûches, entre papa et Suzy. Guerrand ne doit pas tarder de rentrer, lui aussi ! Le retrouver, alors que mes sentiments pour lui ont encore tellement besoin de se décanter ? Quand j'y songe, je me prends à trembler... Comment les affronterai-je tous les trois ? Oh ! si j'avais la certitude de revoir de temps en temps Jean Renaud, comme mes appréhensions s'évanouiraient, combien ce retour changerait d'aspect ! Mais je n'ose l'espérer : il s'est fait si terriblement silencieux ! Alors, ma lâcheté me fait souhaiter repousser cette rentrée...

⁂

28 mai

Les cours sont finis. J'ai même obtenu une mention honorable. Mais mes journées n'en sont pas moins remplies ! Je me suis décidée à retarder mon retour à Paris. Raison impérieuse : mon séjour à l'hôtel, pourtant modeste, où je passe les derniers jours de mai, m'a coûté plus cher que prévu. Je dois de l'argent à Kikou et je ne partirai pas sans l'avoir remboursée.

Donc, je bats le pavé de Kyoto à la recherche d'un emploi. Je cours des bureaux d'un consortium de presse à un magasin de perles qui demandait une vendeuse trilingue ; d'une agence de cinéma à celle d'une maison d'exportation de soieries : toujours pour m'entendre dire que la place est prise depuis la veille ou que mon japonais est insuffisant. Je commence à me décourager.

⁂

31 mai

Enfin, la chance a tourné ! Mourant de fatigue et de soif, j'étais entrée dans un bar en quête d'une tasse de thé. J'y ai surpris un fragment de conversation en anglais entre deux messieurs d'âge mûr, l'un, nippon, l'autre, français, à en juger par l'accent avec lequel il massacrait la langue de Shakespeare.

— Vous croyez qu'un guide comme vous le demandez se trouve au pied levé ? disait le Japonais. Votre groupe devra s'en passer temporairement... A moins que vous ne vous décidiez à en tenir le rôle...? Pourquoi pas ?

— Avec mon anglais pitoyable et pas un mot de japonais ? Cherchez encore, monsieur Fuzumara, je vous en conjure. Faute d'un accompagnateur à peu près qualifié, notre fin de voyage sera un fiasco. Si demain je n'ai que votre Japonaise, cette journée de Nikko, qui devait être un des clous du programme, sera catastrophique. Rentrés à Paris, mes clients se plaindront à la direction. On m'accusera de n'avoir pas su me débrouiller. Je risque de perdre ma place...

Je n'en ai pas écouté davantage et, abandonnant mon thé, je suis allée à eux.

— Excusez mon indiscrétion, messieurs. J'ai surpris, sans le vouloir, quelques mots de votre entretien. Je suis française. Comme vous pouvez en juger, je comprends l'anglais et je parle assez couramment le japonais. J'ai cru saisir que vous étiez à la recherche d'un guide : oserais-je me proposer... ? En ce qui concerne Nikko, je le connais à fond.

Evidemment, je bluffais. Mais j'avais encore bien en mémoire les explications que m'avait données Hamato avant de se livrer à son embrassade ridicule. Mon compatriote n'a pas tergiversé.

— Asseyez-vous, mademoiselle, que nous causions un peu...

J'ai donc subi séance tenante une sorte d'examen qui a été concluant, car il fut décidé finalement que j'escorterais le lendemain à Nikko vingt-cinq touristes français, arrivés de l'Inde et du Népal, qui doivent regagner Paris par Hong-Kong et Bangkok et dont l'accompagnateur a trouvé le moyen de tomber malade à Tokyo. Ensuite, on prendra une décision définitive pour retenir ou non ma candidature à son remplacement — sous-entendu : « d'après la manière dont vous vous en serez tirée ».

Je suis donc assez satisfaite mais n'en suis pas moins un peu inquiète pour demain. Comment vais-je m'en sortir ?

⁂

2 juin

Ouf ! la journée, que je redoutais, est passée, et plus qu'honorablement. La preuve en est que je suis engagée ferme, du moins jusqu'à Bangkok où l'on espère que l'accompagnateur en titre pourra reprendre ses fonctions ; et cela, à des conditions véritablement inespérées. J'ai même obtenu une avance qui me permet de largement rembourser Kikou. A Bangkok, j'aviserai.

Aux petites heures de la matinée, je m'étais présentée à l'Impérial Palace Hôtel pour y faire la connaissance de ma collègue locale : « Première Lueur de l'Aube », puis de mes futures ouailles d'Uni-Voyages : groupe assez hétéroclite où prédominent les femmes seules et les ménages d'enseignants. Quelques personnes du troisième âge et peu de jeunes, les benjamins étant une charmante blonde aux airs languissants et un grand garçon tondu ras qui semble ne s'intéresser à rien : impression qui s'est confirmée au cours de la journée.

Il est apparu très vite que, grâce à Hamato, mon érudition était très supérieure à celle de « Première Lueur de l'Aube » dont le français est, de plus, assez déficient. Bien vite, tout le groupe s'est agglutiné autour de moi. Je n'en finissais plus de répondre à toutes les questions. Les vieilles dames, surtout, sont terribles : elles veulent tout savoir. Pour elles, un guide est une espèce de dictionnaire qu'on a le droit de feuilleter sans arrêt. J'ai cru connaître un moment de répit quand mes tortionnaires, après le déjeuner, se sont égaillés sur les rives du lac Chuzenji. Hélas, les poétiques cerisiers étaient défleuris, mais restaient les glycines arborescentes et les bosquets d'azalées qui composaient avec l'azur du lac une harmonie à vous fondre l'âme de tendresse. Mais la languissante jeune fille, me voyant seule, a aussitôt bondi sur moi. Au cours de la matinée, son expression dolente s'était un peu dissipée.

— Quelle chance que vous nous ayez accompagnés ! Grâce à vous maintenant, je ne planterai plus un torii devant un temple bouddhiste mais saurai que c'est un symbole shinto : le perchoir du coq de la déesse, je ne sais plus qui...

— Amateratsu.

— Parfaitement ! Et votre commentaire sur la peinture de Jingoro était passionnant ! C'est bien de lui, n'est-ce pas, le chat endormi au milieu des pivoines, qui symbolise l'indifférence suprahumaine du Zen à la Beauté ? Vous êtes dix fois plus intéressante que M. Marinand. J'espère que vous allez continuer à le remplacer puisqu'il est indisponible pour un certain temps.

— Je ne demanderais pas mieux, mais je n'en suis pas certaine. Je n'ai été engagée que pour aujourd'hui. En quelque sorte, je suis à l'essai.

— Oh ! alors, c'est comme si c'était fait ! Tout le monde est enchanté de vous. Je vais m'arranger pour que ça se répète ce soir à l'Impérial Palace et que cela parvienne aux oreilles du correspondant d'Uni-Voyages.

Elle était tout à fait sortie de son apathie et ses jolis yeux couleur d'améthyste brillaient d'animation.

— Vous êtes mademoiselle... ?

— Roques. Géraldine Roques.

— Géraldine ? Quel joli prénom ! Moi, je m'appelle Chrystel Parme. Et je vous présente Gérard Bouteyron, un des nôtres que vous avez sans doute entrevu. Il a trouvé aussi que vous étiez une cicérone remarquable, n'est-ce pas, Gérard ? Excusez sa drôle de tête : il vient de faire son service dans les paras qui l'ont passé à la tondeuse réglementaire. On lui a fait la vraie boule à zéro. Gérard, mademoiselle Géraldine Roques.

Son compagnon s'était approché de nous et n'a pu moins faire que d'acquiescer. Vu de près, il ne m'a pas été très sympathique. Pourtant, il a d'assez beaux traits un peu heurtés, légèrement déparés par un semis de taches de son. Le regard de ses prunelles veloutées doit pouvoir se faire enjôleur. La taquinerie de Chrystel a dû le vexer, car il s'est aussitôt figé et les quelques mots qu'il m'a adressés étaient contraints et embarrassés. Notre conversation à bâtons rompus n'a pas duré, il a bien vite entraîné Chrystel. Du reste, « Première Lueur de l'Aube » me faisait signe de venir l'aider à regrouper notre monde. Nous avions encore au programme une cascade à faire admirer et le car nous attendait déjà.

La journée s'est terminée sans que Chrystel m'ait reparlé, mais elle a sans doute tenu parole car, alors que j'allais prendre congé de l'agent d'Uni-Voyages, il m'a retenue pour me dire que l'opinion générale m'étant favorable, il m'engageait pour la durée de l'indisponibilité du titulaire de l'emploi, avec des émoluments qui m'ont plongée dans le ravissement, moi qui n'ai jamais gagné le moindre argent. Je suis alors rentrée dare-dare chez les Suzumaru pour rembourser Kikou et lui faire mes adieux ainsi qu'à « Perle de Rosée ». Grâce au Ciel, Hamato était sorti, ce qui a simplifié les choses. Je n'ai eu que le temps ensuite de courir à mon hôtel pour boucler ma valise et mon sac de voyage.

***

8 juin

Malgré mes bonnes résolutions, je n'arrive pas à tenir mon journal. Je n'ai un moment à moi que le soir quand je me retire dans ma chambre pour me coucher et, alors, je suis harassée. Je n'aurais jamais cru que le métier de guide fût si fatigant. Il y a le cauchemar de la cinquantaine de valises dont on a la responsabilité à laquelle s'ajoute celle de l'importante somme d'argent qu'il faut trimballer et de la comptabilité à tenir.

Avec cela, il faut être constamment à la disposition de chacun, ce qui est un véritable écartèlement, et être en mesure de répondre à toutes les questions, même aux plus saugrenues. Avec Hamato, je n'avais vu en détail que le Kyomizu et Nikko. Je suis donc obligée de me documenter sans arrêt discrètement sur ce qui fera l'objet des prochaines visites. A « Première Lueur de l'Aube » a succédé « Nacre du Couchant » dont le nom permet de déduire qu'elle est née le soir, contrairement à « Première Lueur de l'Aube » car l'usage est, paraît-il, de rappeler, dans le nom choisi pour le nouveau-né, les circonstances de sa venue au monde. Son français est assez bon, mais sa voix est si fluette qu'on l'entend à peine et elle est plutôt avare d'explications, ce qui m'oblige à la doubler et à lui suppléer. Chrystel Parme est toujours aussi charmante. Elle a décidément secoué sa mélancolie et nous devenons de véritables amies. Quant à Gérard Bouteyron, il affecte de se tenir à l'écart. Il m'évite le plus possible et ne rejoint Chrystel que quand je suis à distance. Aurait-il peur de la rendre jalouse par hasard ? Cela ne risque pourtant pas. J'ai l'esprit suffisamment occupé par deux figures masculines pour ne pas me soucier d'une troisième.

Guerrand est rentré en France après une croisière de trois mois sur le *Bel Espoir*. Il a conclu un semblant de paix avec ses parents, et son père l'a casé dans une affaire d'import-export où il paraît se plaire. Sa dernière lettre est pleine d'alacrité mais j'ai eu la contrariété d'y trouver la déclaration que je redoutais. Quoique voilée, elle n'en est pas moins claire.

Pour savoir où me l'adresser, il n'a pas reculé devant une visite à Suzy et cette démarche suffit à prouver à quel point il a changé : Guerrand, le sauvage, l'anti-conformiste, allant voir mes parents comme pour officialiser des relations qui, jusque là, se déroulaient en marge des familles ! C'est à n'y pas croire...

« J'ai donc fait la connaissance de l'épouse de ton père », m'écrit-il. « Elle est plus sympa que tu ne me l'avais laissé croire. Ou peut-être suis-je plus indulgent maintenant que les effluves de l'Atlantique m'ont lessivé le cerveau... ? Face au grand large, avec une vingtaine de tordus plus ou moins sortis de la mélasse et qui ont tous leurs problèmes, les vôtres apparaissent comme l'écume des vagues qui moutonnent sous vos yeux : ça bouillonne, ça monte et, quand ça retombe, on s'aperçoit que ce n'était que de l'eau qui jouait à l'importante... Et puis le père Jaouen est un type formidable, tout à fait dans le genre de notre fameux flic ! Mais, surtout, je t'ai, toi, constamment dans ma tête... » Il a barré « cœur » mais j'ai pu le lire quand même.

« Je n'ai pas toujours été le copain que j'aurais dû être avec toi. Je t'en demande pardon. Quand nous nous reverrons, je crois que tu me trouveras tout autre. J'ai rompu avec la bande et je travaille dur. Tu le croiras si tu peux mais je fais des économies... Finis les bistrots et le reste ! Je rêve d'un chez moi où l'on serait à deux, est-ce que tu comprends ? Je ne t'en dis pas plus, le reste quand on se reverra. J'espère que tu auras bientôt fini de faire le cornac. Je t'embrasse. »

⁂

10 juin

J'ai relu cette lettre au moins dix fois. Et ce soir où je suis moins recrue que d'habitude, la journée ayant été plus facile — mon monde avait quartier libre et tous en ont profité pour dévaliser les boutiques — je tente de m'analyser. Je voudrais explorer ce labyrinthe où je me perds. De l'exposer noir sur blanc, cela m'aidera peut-être...

Guerrand, mon vieux Guerrand, que n'as-tu fait plus tôt ce chemin vers moi ? Pourquoi ne t'être pas avisé que nos deux détresses épaulées l'une sur l'autre pouvaient nous apporter consolation et peut-être bonheur ? Pourquoi avoir tenté de te réfugier dans une griserie destructive et néfaste ? Je sais bien que le vrai coupable est celui qui t'en procurait les moyens et que je n'ai guère été plus raisonnable... Mais pourquoi y revenir puisque te voilà libéré, grâce à cet instrument providentiel du destin, Jean Renaud... ?

Sans lui, je pense que je t'aimerais maintenant pour de bon, mais je ne dispose plus vraiment de moi. Je ne peux pas dire : « de mon cœur » ; c'est trop idiot quand on pense que celui qui l'occupe est un presque inconnu que je ne reverrai peut-être jamais. Mais le fait est que, plus les jours passent loin de lui, plus je me sens envoûtée par sa pensée dont l'obsession augmente : phénomène psychique, imagination de fille romanesque un peu détraquée, tout ce qu'on voudra, mais je sais bien, moi, le mot tout simple qui conviendrait et que je n'ose écrire parce que j'en ai peur...

Je m'arrête. Je sens que je vais divaguer pour tout de bon. J'ai commencé à écrire pour essayer de voir clair en moi et voilà que je suis épouvantée de ce que je risque d'y découvrir.

***

12 juin

Décidément, il n'y a pas que l'équipage du *Bel Espoir* et moi à avoir nos problèmes ! Cet après-midi, Chrystel m'a laissé entrevoir les siens au cours d'une mini-croisière sur la Mer Intérieure, une des merveilles de ce Japon qui en compte tant ! Quand elle est venue s'asseoir à côté de moi, Gérard est parti avec sa caméra à l'autre bout du bateau, prétextant que l'éclairage y était meilleur. Une bonne partie de notre groupe l'y avait précédé. Je crois bien que nous avons été à peu près les seules à ne pas tenter d'emprisonner dans un objectif, cet éparpillement, sur une mer couleur de jade pâle, d'îlots rocheux d'où jaillissaient des pins-parasols vert émeraude, parfois précédés du portique vermillon d'un torii émergeant du sable neigeux. Chrystel a haussé les épaules :

— Les imbéciles ! Ils s'absorbent à régler leurs appareils et en oublient de regarder ! Enfin, pour

Gérard, je suis assez contente... La photo, c'est sa passion... et son évasion !

— Voyons, vous avez tout de même l'air de lui remplir pas mal l'esprit.

Elle a esquissé une petite moue triste :

— Pas complètement ! Il a des soucis... que je ne connais, du reste, pas tout à fait ! Et, moi, je ne suis pas toujours gaie ! Vous non plus, n'est-ce pas, bien que, de l'être, ça fasse partie de votre rôle ?

J'ai dit évasivement :

— J'ai aussi mes ennuis. Qui n'en a pas ?

Je n'allais tout de même pas lui parler de Guerrand, ni de celui dont la pensée m'obsède... Pas plus que de Suzy ou de la mort de maman ! Elle ne devait d'ailleurs pas s'y attendre car elle a continué tout de suite à s'épancher.

— Ce qui nous a rapprochés, lui et moi, c'est que nous sommes deux orphelins ou tout comme... Moi pour de bon. C'est un oncle qui s'occupe de moi. Il paraît que j'ai de l'argent. Alors, il me passe toutes mes fantaisies : quand j'ai eu envie de ce voyage, ça n'a pas fait un pli. Il a dû aussi se dire que, pendant quelques semaines, il serait débarrassé de moi. Il est très gentil, mais c'est un vieux célibataire qui tient surtout à sa tranquillité. Question sentiment, zéro ! Quant à Gérard, sa mère est morte, mais elle était remariée depuis un certain temps. Elle avait divorcé d'avec le père de Gérard alors qu'il était encore gamin. Ça devrait être interdit quand on a des enfants : on ne se rend pas compte que ça risque d'en faire des dévoyés et c'est bien ce qui a dû arriver à Gérard.

Il me fait l'effet déjà de traîner un passé. Vous comprenez ça, à son âge ! Pourtant, ce n'est pas un mauvais garçon, son année de para lui a fait beaucoup de bien. Et, maintenant que le voilà libéré, il se raccroche à moi... Et moi à lui, d'une certaine façon !

— N'est-ce pas une bonne chose ? Vous devez vous faire beaucoup de bien l'un à l'autre...

— Oui, je crois... Je le sens si seul ! Mais je me demande parfois si ce n'est pas ma fortune qui l'attire. Après leur divorce, son père s'est désintéressé de lui, tandis que sa mère, peut-être par réaction, l'a gâté follement. Aussi a-t-il acquis des goûts horriblement dispendieux. Il a bien quelqu'un qui s'occupe un peu de lui, mais, je ne sais pour quelle raison, Gérard a une prévention contre celui-ci et il s'efforce maintenant de l'éviter au maximum. Des histoires de famille, je pense... Il faut reconnaître qu'il a un esprit de contradiction poussé à l'extrême. La moindre observation le fait se cabrer. Fantasque avec ça ! Vous avez dû remarquer qu'il vous écoutait à peine. Il prétend qu'il en a déjà par-dessus la tête du voyage et que, sans moi, il aurait déjà tout plaqué. Je ne sais pas pourquoi je vous raconte tout cela.

— Moi, je sais. Parce que c'est quelquefois bon de se raconter, tout simplement.

Je la comprenais si bien ! Son besoin de se confier, même à n'importe qui, ne l'avais-je pas éprouvé ? Et, par certains côtés, son Gérard me faisait penser à Guerrand, comme lui victime de la carence de ses parents.

Chrystel m'a regardée avec reconnaissance :

— C'est bien vrai. Vous êtes gentille de m'avoir écoutée. Allons, je vais le rejoindre, sinon il va bouder. Il est très possessif, vous savez... Il est déjà mécontent de la sympathie que j'ai pour vous. Mais j'ai bien droit à un peu d'indépendance, n'est-ce pas ?

Pauvre Chrystel ! Elle a l'air d'une tourterelle blessée qui s'efforce timidement d'agiter ses ailes. Quand nous avons débarqué, je suis descendue la première pour m'occuper de nous répartir dans des taxis. Elle a passé devant moi, escortée de son Gérard qui lui serrait le bras, mais sans tendresse à ce qu'il m'a paru, plutôt comme s'il s'y cramponnait. Ses confidences m'ont poussée à le regarder plus attentivement que je ne l'avais fait jusqu'ici. Il y a quelque chose de dur, presque de tragique, sur son visage criblé d'éphélides. Par moments, il semble être parti très loin et le regard inquiet de ses yeux mordorés devient fixe, comme plein d'une vision dont il ne peut se libérer.

13 juin

C'est la fin de notre séjour au Japon. Demain, nous nous envolons pour Formose et Hong-Kong. Aujourd'hui, nous sommes à Osaka, la deuxième métropole nippone, aussi futuriste que Kyoto est délicieusement surannée. Son ciel est traversé de gigantesques voies aériennes qui aident les rues insuffisantes à écouler son formidable trafic ; et le château fort en ciment armé aux allures de pagode, avec ses toits recourbés aux angles, pieusement reconstruit après les bombardements, fait figure de déroutant anachronisme.

Je continue à faire le cornac, comme dit Guerrand, et trouverais le métier assez rebutant si Chrystel ne faisait pas l'impossible pour me le faciliter. Les gens sont influençables : comme elle ne cesse de chanter mes louanges, elle arrive à ce qu'on croie à mes mérites. Pour m'aider à satisfaire mes ouailles, elle consent de bonne grâce à échanger sa chambre ou sa place à table ; glisse, hors de ma présence, un mot apaisant qui met fin aux inévitables critiques. Mais, quand je veux la remercier, elle me fait taire amicalement.

— N'intervertissez pas les rôles. C'est vous qui me rendez le voyage agréable. Parce que Gérard... vous savez...

— Voyons, Chrystel, soyez sincère, que lui reprochez-vous ? Il ne vous quitte pour ainsi dire pas, sauf quand vous venez bavarder avec moi comme maintenant.

— C'est précisément ce qui m'énerve ; j'aimerais que nous soyons amis tous les trois. Voyez comme il est bizarre : au début, il trouvait vos explications tellement intéressantes ; à présent, il ne veut même plus les écouter. C'est tout juste s'il est poli avec vous. Je lui en ai d'ailleurs fait le reproche.

— Vous avez eu tort. De votre côté, vous devez l'agacer de venir me rejoindre aussi volontiers. Il préfère être seul avec vous. Vous devriez voir là une preuve d'amour.

Elle a hoché sa tête bouclée.

— D'une certaine manière, vous avez raison. Je me

le dis aussi. Mais il n'y a pas que ça ! Il a toujours été nerveux, irritable mais, depuis Kyoto, son humeur a encore trouvé le moyen de s'assombrir. Ce voyage a l'air de l'ennuyer de plus en plus. Moi qui m'en faisais une telle fête !

— Pourtant, vous ne devriez pas être déçue, Chrystel. C'est un beau périple que le nôtre. Et nous ne sommes pas au bout des splendeurs qui vous ont été promises ! Il paraît que Hong-Kong est un véritable enchantement !

— Alors, vraiment, vous n'en voulez pas à Gérard ?

— Mais non ! Il me considère comme une simple guide avec laquelle on n'a pas besoin de se mettre en frais. C'est très naturel.

Rassurée, elle m'a dit gentiment :

— Vous êtes si charmante ! Il me semble que tout le monde devrait être unanime à le trouver.

— C'est vous qui êtes charmante de le penser et de me le dire. Maintenant, allez vite le rejoindre, sinon vous risquez encore de le mécontenter.

Nous nous sommes séparées et elle est partie, tranquillisée, légère, comme si elle s'envolait. L'essence de son être est cette tendresse, cette douceur, qui lui font un besoin de vivre dans un climat idéal où tous ceux qui l'entourent s'aimeraient, tandis que moi, si je vis parfois, et même trop souvent, dans un rêve, ce n'est qu'un côté de ma nature puisque, hélas, en remettant pied à terre, je suis terriblement capable de rancune et de dureté.

Mais il est bien vrai que Gérard Bouteyron est un étrange garçon ! Je ne sais pas ce que je lui ai fait, mais il ne peut véritablement pas supporter ma vue. Quand, par hasard, nous nous rencontrons, il détourne la tête et s'éloigne. Pourtant, il m'est plutôt moins antipathique qu'au début. Je ne peux pas m'empêcher de le plaindre, car il doit souffrir. Mais, dans ce cas, on a souvent besoin d'un souffre-douleur et c'est la pauvre Chrystel qui lui en tient lieu. En résumé, c'est une énigme. Je le devine lourd de secrets et peut-être de craintes.

CHAPITRE IX

14 juin

Feu d'artifice de Hong-Kong, quand on y atterrit à la nuit comme ce fut notre cas. Myriades de lumières jaillies du sol, de la mer et qui s'en vont concurrencer les étoiles. Hong-Kong n'est qu'un brasillement de néon et Kowloon, la presqu'île d'en face, lui donne la réplique. Gigantesques enseignes, magasins rutilants, palaces, bateaux : j'en ai les yeux qui papillottent.

Uni-Voyages a bien fait les choses : nous sommes à l'hôtel le plus fastueux de tout le Sud-Est, le Peninsula où les Japonais installèrent leur éphémère quartier général, mais l'accueil que m'a réservé la réception a été à peine poli.

— Il y a sûrement erreur, mademoiselle. Ce n'est pas vous qui êtes chargée d'accompagner le groupe.

— Voilà pourtant les documents qui le prouvent, monsieur. Le guide officiel est tombé malade et je le remplace. Cela n'a rien de tellement surprenant.

— Mais vous êtes jeune, beaucoup trop jeune ! Ils ont été fous, à Kyoto, de vous engager ! Ils doivent pourtant savoir... A Hong-Kong, il faut de l'expérience, de la poigne, si vous comprenez ce que je veux dire... ce n'est pas une ville pour une novice.

Je me suis rebiffée.

— Qui vous dit que j'en sois une ?

— Vu votre figure, vous ne pouvez pas avoir beaucoup d'années de métier.

— Ça suffit ! ai-je dit sèchement en chinois (Bonne idée que j'ai eue d'en apprendre quelques bribes aux Langues orientales avant que Kikou ne me fasse décidément opter pour le japonais). Ça ne regarde que ma direction et moi. Pas vous !

Du coup, le ton est devenu plus amène.

— Veuillez m'excusez. Puisque vous parlez le chinois, cela explique le choix de ces messieurs. Mais je ne retire pas ce que j'ai dit : il vous faudra être prudente, très prudente. Il y a souvent des incidents. Allons, voyons cette répartition.

Routine à laquelle je commence à m'habituer : chambres à attribuer, valises à aiguiller vers leurs propriétaires, tout cela dans un brouhaha de récriminations et de ronchonnements. Lorsque chacun est casé, je pousse toujours un gros ouf ! de soulagement. Mon journal, tu n'en auras pas plus long ce soir.

16 juin

Ville de beauté, de luxe, de plaisir ; ville de tous les trafics et où l'argent coule à flots ; ville aussi certainement de brigands : Hong-Kong est tout cela et je comprends la mise en garde du chef de la réception, inquiet de mon inexpérience trop visible. Les rues, bordées de vitrines où s'entassent, au tiers ou au quart des prix européens, les pierres précieuses, les jades, les perles, les appareils photographiques, sont trop étroites pour l'humanité mouvante et bigarrée qui les remplit. Hélas, professionnellement, je ne dois avoir d'yeux que pour le troupeau que je guide en m'efforçant de ne perdre personne, et pour la sacoche qui pèse à ma hanche. J'en ai confié l'essentiel au coffre de l'hôtel. Mais il me faut avoir de l'argent avec moi — et beaucoup — pour régler les dîners au restaurant flottant, les passages sur le ferry qui nous y conduira.

Aussi ai-je pris le maximum de précautions : la courroie de ma sacoche, en bon cuir bien épais, est passée sous ma ceinture qui l'empêche d'osciller et la consolide encore. De plus, je l'ai également assujettie à mon épaule par deux agrafes. Cela me paraît vraiment difficile qu'on me l'arrache. Et, si l'on coupe la courroie, les tronçons devraient encore la retenir. Mais c'est agaçant de vivre dans une inquiétude perpétuelle.

Pourtant, jusqu'à présent, tout se passe bien. Depuis plusieurs soirs, tard dans ma chambre, je potasse l'histoire de Hong-Kong pour pouvoir la répercuter toute fraîche à mes brebis qui ne me feront pas grâce d'une date. Par le fait, Hong-Kong est triple. Il y a d'abord l'île que les Anglais ont arraché à la Chine en 1842, à la suite de la guerre de l'opium où l'on ne peut pas dire que la couronne britannique ait joué un joli rôle.

On reproche aux Chinois d'être opiomanes, encore que Mao soit en train d'y mettre le holà, mais à qui la faute ? Le but parfaitement immoral de cette guerre n'a-t-il pas été de contraindre par la force la Chine, encore arriérée, divisée, vulnérable, à ingurgiter, bon gré mal gré, ce que son empereur clairvoyant appelait « la boue immonde » et que les Anglais voulaient exporter de l'Inde ? Maintenant, le fléau a proliféré sous de nombreux aspects. Vengeance de l'Orient, le goût des paradis artificiels est passé à l'Occident ! Et, du coup, je pense à Guerrand !

De lui, conséquence inéluctable, j'ai abouti à Renaud. Avais-je d'ailleurs besoin de ce coup de pouce à ma mémoire pour qu'elle se mette en branle à leur sujet ? La pensée de Renaud, de Guerrand, n'habite-t-elle pas toujours mon subconscient, trop prête à en quitter le domaine pour devenir une idée consciente, voulue, choyée ou troublante suivant duquel il s'agit ? Mais, pour l'instant, il me faut la chasser et ne me souvenir que des vingt-cinq questionneurs auxquels j'ai la charge, entre autres, de toujours répondre.

Hong-Kong, britannique à cent pour cent, a pour capitale Victoria. Les mêmes autobus rouges à impériale qu'à Londres y circulent ; et les deux molosses qui tiennent comme un os tout le Sud-Est asiatique entre leurs dents : la Red China Bank (Chine communiste) et la H. K. and Shangaï Bank (Angleterre) se dressent côte à côte comme pour se surveiller, se défier, au besoin s'entre-dévorer.

Nous sommes montés au Pic qui la domine d'où l'on a une vue d'une ampleur extraordinaire sur toute l'île et où l'on accède par une route excellente ou par un petit funniculaire-joujou, puis nous avons entrepris l'excursion classique qui consiste à en faire le tour et qui a ravi tout le monde. Chacun s'est rempli les yeux de cette côte dentelée où les baies — en particulier celle d'Aberdeen — sont devenues de paradoxaux villages dont des centaines et des centaines de sampans, pressés les uns contre les autres, seraient les maisons. Banderoles, drapeaux, guirlandes, oriflammes, claquent au vent sur les nattes de paille qui les recouvrent et les font ressembler à des berceaux mis à l'envers. Et, là-dessous, vit, rit, souffre, meurt, toute une population dans un entassement insensé.

Après Hong-Kong, l'Angleterre, mise en appétit, s'est fait octroyer, en 1866, la presqu'île de Kowloon qui lui fait face. C'est donc là que nous résidons et où j'ai promené le groupe confié à ma garde avec le plus de joie, et aussi le plus de souci, eu égard au peu de largeur des rues, souvent plutôt des ruelles aboutissant à d'étroits et raides escaliers, pavoisés de banderoles multicolores. Ici, c'est vraiment la Chine. A côté des magasins rutilants, il y a le dédale du marché, parfumé aux mille senteurs chinoises : santal, girofle, épices variées — crasse aussi ! On peut y acquérir les surprenants canards desséchés aplatis en losange qui ressemblent à des instruments de musique ; les œufs de cane qui n'ont pas cent ans mais six mois, rayés de gris par la cendre où on les a conservés ; les fruits aux couleurs éclatantes : en somme la féerie et le sordide de l'Extrême-Orient conjugués.

Tout cela figurait à notre programme d'hier. Aujourd'hui, la journée a été consacrée aux Nouveaux Territoires, prolongation de Kowloon, acquis à bail par l'Angleterre en 1899 pour cent ans, qui s'étendent jusqu'aux barbelés de la frontière chinoise : mares à canards, villages fortifiés, paysans chinois typiques avec leurs barbiches et leurs grands chapeaux coniques. Un regard sur le paradis de Mao et nous avons fait demi-tour car, tout à l'heure, nous effectuerons une promenade nocturne dans Kowloon.

Nous devons parcourir « le quartier des voleurs », celui de la pègre la plus interlope, mais dont le pittoresque rachète, paraît-il, le nauséeux. On y cuisine, on y mange, on y vend ce qu'on a volé la veille d'où son nom. Tout le monde est dans la plus agréable excitation. Les femmes jouissent à l'avance de la frayeur qu'elles ne vont pas manquer d'éprouver et je viens d'avoir mon premier accrochage avec Chrystel.

N'a-t-elle pas eu l'idée saugrenue d'arborer la plus sémillante de ses robes et la jolie parure de perles qu'elle vient d'acheter ? Je lui ai dit que cette tenue ne paraissait pas indiquée pour une promenade dans un quartier aussi mal fréquenté. Elle s'est insurgée.

— Je ne vois vraiment pas ce que vous reprochez à ma robe, Géraldine. Tout le monde m'en fait des compliments. Même Gérard trouve qu'elle me va bien !

— Trop bien, Chrystel ! Elle attire les regards, ce qu'il ne faut pas ce soir. Et ce collier en plus !

Elle a pris un air boudeur.

— Alors, d'après vous, je devrais me vêtir d'un sac ?

— Pas tout à fait, mais j'aimerais mieux pour tout à l'heure quelque chose de moins voyant que ce rouge coquelicot. Allez vous changer, Chrystel, je vous assure que cela vaudra mieux. Et ôtez ce bijou !

— Je n'en ai plus le temps.

— Mais si, en vous pressant un peu. Vous me feriez plaisir.

Elle a un peu récriminé mais a dû, néanmoins, remonter dans sa chambre. J'ai eu à m'occuper d'une dame qui se prétendait souffrante ; d'un monsieur qui craignait de s'être fait voler dans ses acquisitions et voulait mon avis, si bien que nous ne nous sommes pas trouvées dans la même voiture car on devait nous mener à pied d'œuvre, et je ne l'ai pas revue. J'espère qu'elle m'aura écoutée.

⁂

Article découpé dans le *South China Morning post* du 18 juin.

« Hier, la Hong-Kong Police Force a eu à intervenir dans une pénible affaire de séquestration dont l'accompagnatrice d'un groupe de touristes français était l'objet. Cela a commencé par un vol banal.

« Au cours d'une promenade nocturne dans le quartier assez mal famé de Thieves Market, fréquenté régulièrement par les touristes en raison de son pittoresque, une jeune Française s'est trouvée malencontreusement séparée de ses compagnons. Deux bandits en ont profité pour lui arracher son sac à main et, voyant ses bijoux, ont voulu l'entraîner pour la dévaliser plus aisément.

« La jeune femme qui accompagnait le groupe, s'apercevant qu'elle l'avait perdue de vue, s'était aussitôt lancée à sa recherche et s'est rendu compte à temps de l'agression. Elle s'est précipitée à son secours en appelant à l'aide, ce qui a permis à la jeune fille de se dégager. Mais la courageuse guide a bien failli être victime de sa vaillance. Alors qu'elle neutralisait l'un des assaillants par une adroite prise de judo, l'autre est parvenu, après l'avoir à moitié assommée, à l'entraîner en se perdant dans la foule particulièrement dense comme toujours, et à l'enfermer dans une cave qui lui servait de repaire insoupçonné et où elle est demeurée prisonnière.

« Il avait évidemment l'intention de revenir pour s'emparer de la sacoche qu'elle portait en bandoulière. Au moment de l'agression, il en avait d'ailleurs tranché la courroie. Mais celle-ci était fixée à la ceinture et à l'épaule, et ses fragments l'ont retenue. Ce surcroît de précautions a, du reste, dû confirmer le bandit dans l'idée que la sacoche était bien remplie.

« Peut-être pensait-il également se servir de la jeune femme comme otage en cas d'arrestation ultérieure, car il n'en est certainement pas à son premier coup. La police a déjoué ses intentions en le capturant un peu plus tard après une poursuite mouvementée. Quant à la prisonnière, c'est un de ses compatriotes qui l'a finalement découverte, la police ayant vainement procédé à des investigations pourtant sérieuses dans Kowloon et à un quadrillage du quartier où avait eu lieu l'agression. Fortement traumatisée, elle a été transportée par mesure de prudence au Queen Elizabeth's Hospital où elle sera gardée en observation pendant deux ou trois jours.

CHAPITRE X

18 juin, Queen Elizabeth's Hospital

Il est là ! A Hong-Kong ! Jean Renaud ! Une fois encore providentiellement survenu ! Et moi, je suis à l'hôpital où l'on m'a transportée pour soigner l'ébranlement nerveux dont j'ai du mal à triompher et remettre le bras, démis en me débattant de toutes mes forces lorsque le bandit m'a entraînée. Mais tout cela n'est rien, du moment que Renaud m'a tirée de ses griffes après une nuit et un jour d'angoisse indescriptible, et qu'il veille sur moi à présent.

C'est lui qui m'a découverte dans cet ignoble trou à rats où l'un des voleurs qui avaient assailli Chrystel m'avait enfermée et où je mourais de terreur depuis dix-huit heures, m'attendant au pire.

Je n'ai pas fermé l'œil une seconde. Je n'ai senti ni la faim ni la soif. La peur me tenait à la gorge, annihilant tout autre sentiment. Recroquevillée à même le sol couvert d'immondices, je tremblais, l'oreille aux aguets. Sûrement, on me cherchait ! Mais me retrouverait-on avant que les bandits ne soient revenus pour prendre l'argent car la bride de ma sacoche — même coupée — avait tenu bon... ? Pour me tuer aussi, peut-être, après avoir fait de moi leur jouet...

Quand j'ai entendu des pas, mon cœur s'est arrêté de battre, sûre que c'était les leurs. Et puis, on a crié mon nom... J'ai voulu hurler que j'étais là. Il paraît que j'ai à peine poussé un gémissement. Mais l'espèce de trappe au-dessus de ma tête a été violemment manœuvrée. Presque aussitôt une silhouette a surgi à côté de moi. A la lueur de la torche électrique qu'il tenait à la main, j'ai reconnu son visage. J'ai murmuré : « Vous ! » et je me suis évanouie.

J'ai repris connaissance dans ses bras. J'étais dehors. Toutes les senteurs de Hong-Kong m'affluaient aux narines et Renaud me caressait le visage et les mains en murmurant de douces paroles, de cette voix qui me retourne le cœur. J'ai fondu en larmes : la réaction, je pense...

— Géraldine, vous verrai-je donc toujours pleurer ? Cessez de trembler, petite fille... Le cauchemar est fini. Vous êtes hors d'atteinte de ces bandits.

— Ne me quittez pas. J'ai trop peur.

— Non, n'ayez crainte.

J'ai refermé les yeux. J'ai dû m'évanouir de nouveau et, cette fois, quand je les ai rouverts, j'étais dans une chambre d'hôpital. On s'affairait autour de moi. Mais il était toujours là, son visage anxieux penché sur le mien.

Je suis très faible. Ecrire me fatigue. Il paraît que le récit de mon aventure a passé dans le *South China Morning Post*. J'ai demandé qu'on me découpe l'article et je le collerai dans mon journal.

⁂

19 juin

Ce matin, j'étais à peine réveillée qu'il est arrivé. Il a déposé sur mon lit quelques orchidées au parfum de miel et de vanille. A peine m'a-t-il laissé le temps de le remercier.

— Plus tard. Du reste, cela n'en vaut vraiment pas la peine.

— Vous n'allez pas rester un peu ?

— Non. Il y a quelqu'un que je tiens absolument à rencontrer et que je ne veux pas risquer de manquer. Je voulais seulement m'assurer de l'effet des calmants qu'on vous a donnés. On m'a dit que vous aviez bien dormi. A très bientôt, Géraldine. Cette fois, ma visite sera plus longue.

Cette joie à la pensée qu'il ne va pas tarder à revenir... C'est si merveilleux de l'attendre avec cette certitude que je regrette à peine qu'il m'ait quittée si vite. Et ne faut-il pas que je me familiarise avec ce miracle qui vient de se produire, que je me persuade de ne pas rêver ! Etre précipitée de l'enfer en plein ciel ! Renaud, notre sauveur, à Guerrand et à moi, réapparaissant comme par enchantement ! Une infirmière est venue m'aider à faire ma toilette. Je souffre de partout. Ma figure est encore meurtrie et mon bras, infiniment douloureux. Mais on m'a dit que je ne suis pas trop laide quand même.

⁂

J'étais à l'écoute et j'ai reconnu son pas dans le couloir quelques secondes avant qu'il n'entre dans ma chambre. A peine le temps de me préparer à ce bonheur qui m'assaille toute lorsqu'il apparaît ! Avant de s'asseoir, il a déposé sur ma table de chevet un ravissant coffret de laque plein de friandises chinoises, mais un ride barrait son front et il paraissait préoccupé.

— Vous n'avez pas vu la personne que vous vouliez rencontrer ?

— Non, je l'ai ratée.

— Et vous êtes très contrarié ?

— Assez.

Il a fait un effort pour sourire :

— Mais vous êtes saine et sauve, c'est l'essentiel. Comment vous sentez-vous ?

— Presque tout à fait bien, surtout quand vous êtes là. Mais j'ai tant de questions à vous poser ! J'ai un énorme souci... L'argent ? Il y en avait beaucoup dans ma sacoche.

— Il est en sécurité à l'hôtel. Je l'ai remis tout de suite après vous avoir fait transporter ici. Le bandit qui vous a séquestrée n'a pas eu le temps de revenir vous en dépouiller puisque les policiers ont pu l'arrêter avant.

— Et les bijoux de Chrystel... ? Je lui avais tout de même dit de les enlever avant de sortir.

— Elle aurait mieux fait de vous écouter ! Eh bien, elle a eu plus de chance qu'elle n'en méritait ! On les a retrouvés sur son agresseur qui a été appréhendé aussi. Elle va venir vous voir tout à l'heure.

— Mais mon travail... ? Qui va l'assurer ?

— Aucun tracas à vous faire... Votre groupe a retrouvé son accompagnateur qui est arrivé de Tokyo, rétabli.

Cette nouvelle m'a soulagée et contrariée à la fois.

— Alors, moi, je suis... liquidée... ?

— Quel mot après vous être comportée comme vous l'avez fait et alors qu'au Peninsula on ne parle que de votre courage ! Ils ne sont pas si ingrats à Uni-Voyages ! Vous n'assuriez qu'un intérim, voyons ! Et leur correspondant ici m'a dit qu'en plus du salaire convenu il vous remettrait une coquette gratification car on a apprécié votre conduite et les risques que vous avez courus. Que voulez-vous encore savoir ?

— Eh bien... vous... ? Ici... ? Par quel miracle ?

— Comment je suis à Hong-Kong... ? Comment je vous ai retrouvée ? Je voyage beaucoup, Géraldine. J'ai des relations un peu partout. C'est au cours d'un de mes rares séjours à Paris que j'ai pu m'occuper de vous et d'Enguerrand de Coucy. Après votre départ pour le Japon, j'ai eu moi-même à entreprendre un voyage dans le Sud-Est asiatique qui m'a conduit à Kyoto. J'ai eu, tout naturellement, l'idée de chercher à vous y voir. Par mes relations, j'ai trouvé facilement l'adresse de Kikou Suzumura et elle m'a appris que vous étiez devenue guide intérimaire d'un groupe de touristes français. Mes affaires m'appelant également à Hong-Kong, j'y ai débarqué au Peninsula juste pour apprendre votre enlèvement. J'ai aussitôt décidé de participer aux recherches entreprises par la police et j'ai été assez heureux pour aboutir alors qu'elle piétinait. Un instinct inexplicable m'a guidé vers ce secteur du port que les policiers avaient exploré trop superficiellement et où je pressentais que pouvait se trouver le repaire des bandits. Voilà !

Une seconde, l'horrible vision rétrospective de cette cave puante et de tout ce que je redoutais, m'est passée devant les yeux. Un frisson m'a secouée. Il a pris ma main et l'a gardée un instant dans la sienne.

— N'y pensez plus. Dites-moi plutôt ce que vous voulez que je vous apporte demain pour vous faire oublier votre aventure. Pas des perles... Elles n'ont pas réussi à votre amie. Aimez-vous les jades ?

— Je les adore. D'ailleurs, j'aimerai tout ce qui viendra de vous.

Sur son visage, le sourire a disparu tout à coup.

— Cela vous contrarie que je le dise ?

— Je vous trouve trop portée aux exagérations. Alors, d'accord pour un jade. Et, après-demain, je vous remmène au Peninsula. En attendant, reposez-vous. Ce soir, on vous donnera encore un tranquillisant pour vous aider à bien dormir. D'ici là, j'espère que vous n'aurez pas trop de visites. Tout votre groupe risque de défiler ici.

⁂

Il s'en est allé. Et, comme à chaque fois qu'il s'éloigne, j'ai ressenti un pincement au cœur. Mais lui ? Qu'éprouve-t-il vraiment pour moi ? Cette extraordinaire sollicitude, qu'est-ce qui la motive ? Au début, il m'a vue sur une mauvaise pente mais, après tout, il ne manque pas de filles dans ce cas. Il ne m'a pas caché qu'il savait de moi beaucoup de choses : mon désespoir d'avoir perdu maman, mes démêlés avec papa et Suzy, mais cela suffit-il à expliquer ce dévouement qu'il apporte à s'occuper de moi, ce besoin de voler à mon secours lorsqu'il a su que j'étais en danger, ce désir de me combler de gâteries... ?

Ou, alors, mais ce serait trop beau, ce qui ne devait être au début qu'une pitié sincère et le désir de remettre dans le droit chemin quelqu'un en train de s'en écarter, aurait-il frayé la route à un sentiment qu'il n'ose peut-être ni m'avouer ni s'avouer ? A cause de son âge peut-être ? Evidemment, il est plus âgé que moi. Dix, douze ans, peut-être... Que m'importerait ? Il fait si jeune de silhouette, de visage et, quand il sourit, il est la séduction même.

Sa profession plutôt ? Ne m'a-t-il pas dit, alors qu'il venait de se porter au secours de Guerrand, qu'elle était de nature à inspirer davantage la crainte que la confiance, ou quelque chose comme cela... ? Il l'entoure d'ailleurs d'un certain mystère. Le fait que la police de Hong-Kong ait accepté sans difficulté, semble-t-il, sa coopération, confirme bien qu'il doit faire partie de la police française. Une idée me vient tout à coup : appartiendrait-il vraiment à Interpol et poursuivrait-il une enquête secrète sur un escroc international, d'où sa contrariété de la rencontre manquée qui devait peut-être le mettre sur une piste... ? Mais, pour en revenir à mon problème personnel, serait-ce à moi de l'encourager, de lui faire comprendre plus clairement à quel point je tiens à lui ? Rien qu'à cette pensée, ma gorge se noue, mon cœur bat plus vite. Oserai-je jamais ? Et pourtant...

⁂

Toutes ces idées se heurtaient, s'enchevêtraient dans ma tête lorsque Chrystel est arrivée, un peu pâle, les yeux battus, déguisant mal une surprenante tristesse sous un entrain factice. En m'embrassant chaleureusement, elle m'a passé au cou le sautoir de perles qui a été la cause initiale de mon aventure.

— Il est à vous désormais. Vous l'avez bien mérité ! Quand je pense qu'à cause de mon entêtement à m'en parer, vous avez failli mourir ! Car ces bandits seraient peut-être revenus vous tuer si on ne les avait pas pris... Et c'est pour m'éviter d'être dévalisée que vous vous êtes jetée au-devant du danger ! Oh ! Géraldine, je vous en supplie, dites-moi que vous me pardonnez...

— Mais bien sûr, voyons ! Je n'ai fait que mon devoir de guide en me portant à votre secours. On me chouchoute tellement que je serai vite remise de mes émotions. On m'a affirmé que je rentrerai après-demain au Peninsula.

— Le jour où nous en partirons ! Vous savez que M. Martinand est revenu ? Il a été plus vite remis qu'on ne pensait. Mais tout le monde déplore son retour. On préférait tellement vos explications aux siennes...

Elle s'est interrompue pour chercher son mouchoir à la dérobée dans sa petite pochette perlée.

— Qu'y a-t-il, Chrystel ? Pourquoi êtes-vous si

triste ? Ce départ était prévu au programme. Vous regrettez tellement Hong-Kong ?

— Non. Pas Hong-Kong ! Mais...

Sa voix s'était enrouée. Elle a levé sur moi ses yeux mauves où brillaient des larmes :

— Autant que vous le sachiez ! Du reste, il n'en a pas fait mystère. Gérard nous a quittés.

— Gérard Bouteyron ? Quand ? Et pourquoi ?

— Le lendemain de votre disparition. Sans donner de vraies raisons. Il m'a seulement dit que le voyage l'assommait décidément et qu'il aimait mieux rentrer en France tout de suite. Il s'est informé à la direction. Une place était encore disponible dans l'avion du jour pour Paris. Il s'est fait conduire tout de suite à l'aéroport. C'est à peine s'il a pris le temps de me dire adieu.

— Ne pleurez pas, Chrystel. Vous le retrouverez à Paris et, là, il s'expliquera pour de bon.

— J'en doute. Il est si étrange ! Je vous l'ai dit : avec lui, on peut toujours s'attendre à tout... Mais je vous fatigue avec mes histoires...

— Je suis désolée pour vous, Chrystel. Vous verrez, tout s'arrangera entre vous deux.

Je l'ai dit sans trop le croire. Chrystel a séché ses yeux, m'a embrassée. J'ai encore remercié pour le collier et elle m'a quittée. D'autres membres du groupe arrivaient, les bras encombrés de fleurs. Ma chambre va ressembler à un jardin.

⁂

En y réfléchissant, je trouve quelque chose de louche à ce départ précipité qui ressemble presque à une fuite. Je ne peux m'empêcher d'être frappée par cette simultanéité du départ de Gérard Bouteyron et de l'arrivée de Renaud. Coïncidence peut-être seulement. Mais si c'était précisément lui que tenait à rencontrer Renaud ?

Décidément, me voilà en passe d'en faire un saint-bernard se précipitant au secours de tous les déboussolés ! Car il ne fait pas de doute que Gérard Bouteyron en est un, tout comme nous l'étions, Guerrand et moi... Mais il a quelque chose de plus : comme une crainte que trahissent la fuite de son regard lorsqu'on le dévisage et cette instabilité dont se plaint Chrystel. Serait-il précisément l'homme que, mon imagination aidant, je soupçonne être recherché par la police... ? Non, c'est invraisemblable, à son âge, et alors que sa tête est encore rase de son temps chez les paras. Une fois de plus, je suis en train de divaguer.

21 juin

Chrystel m'a fait ses adieux ainsi que la plupart des membres du groupe. Les voilà partis sous la houlette de M. Martinand et, moi, réinstallée dans ma chambre du Peninsula. Toutes mes fleurs m'y avaient précédée, et aussi un écrin contenant le plus adorable jade qui se puisse imaginer : un bouton de mandarin monté en broche, d'un vert laiteux, ciselé avec une exquise fantaisie. Il semble qu'il n'y ait qu'un amoureux pour avoir conçu un pareil bijou et une voix que j'essaye de faire taire, chuchote en moi : « Et pour l'avoir choisi ! »

Si c'était vrai ! Si je ne redoutais pas de me leurrer d'un déraisonnable espoir, je crois que mon âme éclaterait de bonheur. Je lutte contre cette idée qui me maintient cependant dans une euphorie repoussant à l'arrière-plan un souci pourtant immédiat. Que dois-je décider maintenant ? Chercher de nouveau une situation, cette fois à Hong-Kong qui ressemble tout à fait à la caverne d'Ali-Baba : amoncellement de trésors et repaire de brigands ? Evidemment, la sagesse voudrait que je rentre à Paris, mais cela me coûte à un point indicible.

Je l'ai dit à Renaud en le remerciant du jade. Il m'a répondu que nous en parlerions ce soir et il m'a invitée à dîner « pour fêter votre rétablissement », a-t-il ajouté. Devrais-je saisir cette occasion, non pas de lui dire, mais...

⁂

22 juin

Ecroulement de mes fragiles espoirs ! Leurres, vaines illusions avec lesquels j'ai joué, j'ai trompé ma faim de tendresse ! Il ne m'aime pas. Il me l'a clairement laissé comprendre. Je n'en devrais pas être surprise : en même temps, que je chevauchais ma chimère, une voix secrète me criait : casse-cou ! Sûrement, il souffrait de ma peine qu'il devinait. Mais, néanmoins, il a plaidé la cause de Guerrand en s'efforçant d'être persuasif au point que j'en suis encore stupéfaite. Me serais-je jamais doutée que Guerrand trouverait en lui un avocat aussi ardent !

Notre dîner en tête à tête avait pourtant bien commencé. Il nous avait fait réserver une table dans une petite pièce tranquille à côté des vastes salles d'un luxe tapageur, flamboyantes de lumières, où des femmes en robes du soir et des hommes en smoking blanc sablaient le champagne. J'avais mis ma plus jolie robe, une robe blanche que j'avais rehaussée d'une ceinture verte pour l'assortir à ma broche de jade. J'étais bien coiffée, peu maquillée, juste ce qu'il fallait. Bref, j'étais contente de moi. Et ses yeux m'ont dit qu'il me trouvait bien. Quant à lui, il surclassait de loin tous les élégants soupeurs des autres salles.

Le menu était amusant, raffiné : des mets chinois, bien sûr : potage aux nids de salangane, canard laqué, letchis.

— Vous aimez ?

— Beaucoup.

Et j'ai ajouté avec une perfidie calculée :

— Ne vous ai-je pas dit que j'aimais tout ce qui venait de vous ?

— Et moi, ne vous ai-je pas dit que vous étiez portée à l'exagération ?

Cela s'orientait mal. Je me suis mordu les lèvres. Pourtant, j'ai ri.

— C'est votre faute. Vous m'avez trop gâtée. Et maintenant, il faut encore que je pèse sur vos épaules, que vous me disiez ce que je dois faire...

Cette fois, je ne riais plus. Toutes mes incertitudes, mes espoirs, mes craintes, hélas, trop justifiées, me revenaient. Lui aussi était devenu grave.

— Il me semble que vous n'ayez pas grand choix.

Il vous faut rentrer à Paris. C'est la décision qui s'impose. Moi-même je vais devoir quitter Hong-Kong.

— Pour Paris ?

— Non, j'ai encore à faire en Asie.

J'ai eu l'estomac un peu tordu, mais ne me suis pas encore avouée battue :

— Vous n'auriez pas besoin d'une secrétaire par hasard ?

— Ne plaisantez pas, Géraldine. Ecoutez-moi.

Il s'est penché par-dessus la table. J'essayais de planter mes yeux dans les siens, mais il les dérobait.

— Vous savez que j'ai revu Enguerrand de Coucy à Paris ?

— Oui, il me l'a écrit.

— Sa croisière sur le *Bel-Espoir* l'a métamorphosé. Il est devenu un garçon posé, équilibré, qui regarde la vie en face et travaille sérieusement dans l'affaire où l'a casé son père. Il vous aime, Géraldine... Vous représentez pour lui la récompense de ses efforts. Ne le décevez pas.

— C'est-à-dire... ? ai-je fait d'une voix enrouée.

— Epousez-le, Géraldine. Il en meurt d'envie. Et je vous garantis que vous serez heureuse.

Puis, avec un demi-sourire, un peu forcé à ce qu'il m'a semblé :

— Là voilà, la solution à vos difficultés : devenir Mme de Coucy. Qu'en dites-vous ?

— Je dis non.

C'est parti d'un trait, net, comme projeté de tout moi.

— Non ? Et pourquoi ?

— Parce que je ne l'aime pas d'amour, parce que je sais maintenant que je ne l'aimerai jamais de cette façon-là.

— Vous m'aviez donné à penser le contraire pourtant ! Vous étiez assez en peine de lui, et cela alors qu'il n'était qu'un dévoyé ! A présent qu'il est délivré de ses tentations, qu'il est sain, droit, propre, qu'il vous aime de tout son cœur d'homme épris pour la première fois, vous vous écartez de lui ! Pourquoi, Géraldine ?

— Parce que...

J'ai hésité et puis j'ai envoyé promener toute dérobade, toute pudeur :

— Parce que j'en aime un autre.

— Un autre... que vous voudriez épouser... ?

— S'il voulait de moi, oui.

— Enfant que vous êtes ! a-t-il fait avec une intonation bizarre. A supposer qu'il le veuille, savez-vous seulement si cela lui serait possible ? S'il ne vous décevrait pas en vous épousant ?

— Non, ai-je murmuré. Impossible !

— Géraldine, ne confondez pas un caprice avec un sentiment sérieux.

Son visage avait subitement changé ; et moi, j'étais morte de confusion. Mais, au point où j'en étais, je pouvais fouler aux pieds toute honte. J'ai enfoui mon visage dans mes mains en balbutiant :

— C'est tout ce qu'il y a de plus sérieux. Ne pouvez-vous donc pas comprendre... ?

— N'en dites pas davantage, Géraldine.

J'avais toujours mon visage dans les mains. Je n'ai donc rien pu lire sur ses traits. Il est demeuré silencieux quelques secondes, mais j'ai senti ce qui allait venir et j'ai commencé à pleurer tout doucement, comme en dedans.

— Ma pauvre enfant, a-t-il dit enfin, d'une voix qui tremblait un peu, je ne suis pas un mari pour vous, croyez-moi.

De nouveau, un silence est tombé. Puis il a ajouté plus fermement :

— Si je succombais au piège de votre jeunesse, de votre ignorance, vous n'auriez plus tard pas assez de mots pour me le reprocher. Vous vous êtes monté la tête, Géraldine. Toujours vos exagérations ! N'y pensez plus. Vous le regretteriez, je vous jure. Parlons d'autre chose. Et finissons de dîner.

— Je n'ai plus faim.

Il n'a pas insisté. Au bout d'un moment, feignant de ne pas voir que j'éparpillais mes letchis sur mon assiette sans les manger, il a repris :

— Il y a encore quelques places dans l'avion pour Paris de demain. Vous aurez juste le temps d'envoyer un télex à votre père pour lui annoncer votre arrivée. Croyez-moi, Géraldine, c'est le parti le plus sage.

— C'est vraiment ce que vous me conseillez ?

— Oui, rentrez à Paris. Et allez voir Enguerrand.

— C'est bien, je vous obéirai.

Tout m'était subitement devenu indifférent. De lui, ne me resteraient plus que des souvenirs, les uns, très doux, les autres, pleins d'amertume. Ce conseil qu'il me donnait était vraisemblablement le dernier. L'ultime geste de mon amour brisé serait de le suivre. Je me suis levée, un peu chancelante.

— Je suis fatiguée. Et puis, dans ces conditions, je vais avoir à préparer mes affaires. Excusez-moi, je crois qu'il faut que je retourne dans ma chambre. Encore mille mercis de m'avoir sauvée et pour le dîner, le jade, les gâteries, tout... Et pardonnez-moi ce que je vous ai dit. Oubliez-le.

Il m'a conduite à l'ascenseur. Il était temps que je le quitte : les larmes, que j'avais réussi jusque-là à contenir, étaient prêtes à déborder.

23 juin

J'ai tout compris. La lumière s'est faite, aveuglante. Et ce qu'elle a éclairé comme un impitoyable projecteur, est épouvantable ! Renaud, eh bien, c'est lui, le chauffard qui est, en grande partie, responsable de la mort de maman ! Plus que mon père à qui j'en veux tant ! J'aurais dû le comprendre plus tôt. Mille indices auraient dû me mettre sur la voie. Comment il me connaissait ; pourquoi il s'intéressait à moi ! Bien sûr, il essayait de soulager sa conscience. Et moi, bêtement, je croyais à une bonté gratuite. Je me suis prise à l'aimer. Je comprends qu'il se soit dérobé devant cet amour que je lui offrais, candidement, naïvement, idiotement. Il a dû être accablé de honte. Et c'est ce que j'éprouve maintenant : une honte indicible ! Et j'ai si mal ! maman, pardonne-moi ! Il me semble que j'ai offensé ta mémoire en manquant à ce point de perspicacité quand il s'agissait de ta mort. Oh ! maman, pardon !

Comment mes yeux se sont-ils ouverts ? Le plus

simplement du monde. Ce matin, je suis allée au bureau de voyages de l'hôtel pour ma place d'avion. La réservation faite, j'ai pensé à l'en aviser, lui ! J'ai voulu lui téléphoner et j'ai demandé à la réception la communication avec M. Renaud.

— Nous n'avons personne de ce nom, mademoiselle.

— Mais si, voyons, j'en suis sûre. Un homme grand, encore jeune, distingué... Vous avez même dû me voir avec lui.

— Ah ! vous voulez dire M. de Vieilleville, le reporter de *France-monde...* ? Renaud n'est que son prénom. Il occupe le 827, mademoiselle. Je vous le passe tout de suite.

J'ai dû changer de visage. Je ne sais comment je suis demeurée debout. Il m'a semblé que tout le hall tournait autour de moi. Je me suis raccrochée au rebord du bureau pour ne pas tomber. J'ai bafouillé :

— Non, inutile. J'ai changé d'avis. Je lui parlerai plus tard.

L'employé m'a regardée avec surprise.

— Un malaise, mademoiselle ? Vous n'êtes peut-être pas encore bien remise. Voulez-vous que j'appelle moi-même M. de Vieilleville ?

— Non, non, surtout pas ! Vous avez raison. Je ne suis pas bien. Je vais remonter dans ma chambre.

Vieilleville... ? ça a été comme si une cloche lointaine réveillait de faibles, mais distincts échos au fond de ma mémoire. « Vieilleville », « Vieilleville », je n'avais jamais bien su un nom qu'on avait évité de trop prononcer devant moi, mais sa consonance me revenait.

J'étais sûre de la particule. Et puis tous ces indices qui corroboraient, renforçant une certitude qui, atrocement, s'imposait à moi !

⁂

On a frappé à ma porte. Je ne voulais pas répondre, mais, machinalement, j'ai dit : « Entrez ! » et il est apparu devant moi.

— Géraldine, on m'a dit en bas que vous aviez été souffrante, que vous vouliez me parler au téléphone.

Je me suis soulevée sur mon lit où je m'étais jetée. Je lui ai montré la porte :

— Sortez !

Et j'ai ajouté :

— Monsieur de Vieilleville !

Son visage est devenu aussi pâle, aussi figé qu'un marbre.

— Jean-Renaud de Vieilleville, a-t-il précisé. Je ne vous ai pas menti.

L'indignation m'a rendu des forces. Je me suis dressée, les joues brûlantes :

— Pas menti ? Alors que vous m'avez fait croire que vous étiez de la police, alors que vous êtes journaliste ?

— Rappelez vos souvenirs. C'est une conviction que vous vous êtes forgée avec vos amis, en partant de déductions fantaisistes et d'une phrase vague de ma part. Je vous ai seulement dit que je voyageais beaucoup. Votre imagination a fait le reste.

— Peut-être. N'importe ! Vous auriez dû me détromper quand vous avez vu que je m'égarais sur votre compte... Et tout me dire...

— Et vous laisser couler à pic, n'est-ce pas ?

Il est demeuré quelques instants comme une statue au pied de mon lit. Sa pâleur était devenue de la lividité. Je n'ai pas pu m'empêcher d'en avoir pitié. J'ai dit malgré moi :

— Vous n'avez été qu'un meurtrier indirect et involontaire. Mais il s'agit de ma mère ! Vous avez été très bon pour moi, je vous en remercie. Mais, maintenant que je sais, j'aime mieux ne plus vous revoir. Vous comprenez, n'est-ce pas ?

Il n'a pas essayé de se défendre, de discuter. Il a dit simplement :

— Je comprends parfaitement. Adieu, mademoiselle.

« Mademoiselle » ? Fini, « Géraldine ».

J'ai répondu : « Adieu ! » en détournant la tête. Puis j'ai entendu la porte se fermer derrière lui. Je n'ai même plus pleuré. Je n'en avais plus la force. J'étais comme une plage que la mer, en se retirant, laisse nue, dépouillée, indiciblement vide.

CHAPITRE XI

26 juin — Paris

Papa et Suzy m'attendaient à Orly. Je me suis jetée au cou de papa avec une joie qui nous a, je crois, surpris tous les deux.

— Gégé ! Ma petite fille qui me revient enfin !

Oui, c'est vrai : je suis revenue et de plus loin qu'il ne le croit. Je lui en veux moins maintenant que je connais « l'autre », le principal responsable de l'horrible chose, cet « autre » dans les bras duquel j'ai pleuré, qui m'a sauvée de moi-même et peut-être d'un autre danger, car le repaire d'où il m'a tirée n'était sans doute pas le fief que de deux bandits. Celui-là, il ne faut pas que j'y pense, sans quoi quelque chose en moi se déchire et me fait mal à hurler. Pourquoi parle-t-on toujours de cœur en pareil cas — de ce viscère... ? Faute d'un autre terme plus adéquat, je suppose...

Suzy se tenait discrètement à l'écart de nos effusions. C'est moi qui suis allée vers elle. A elle aussi, j'en veux moins.

— Ma chérie !

Elle a dû sentir que mon élan était sincère, car son

visage s'est illuminé et elle m'a prise aux épaules pour m'attirer à elle et m'embrasser une fois, deux fois.

— Maintenant, vite à la maison ! a dit papa.

Une suprise m'y attendait. Papa et Suzy ont émigré en mon absence à l'autre bout de l'appartement. La chambre de maman est restée ce qu'elle était. On en a juste enlevé le lit. En compensation, on y a ajouté deux petits fauteuils cabriolet et une minuscule commode en bois de rose. Tous trois s'accordent si bien avec les autres meubles qu'ils ont l'air d'y avoir toujours été.

— Une idée de Suzy ! a déclaré triomphalement papa. Ce sera ton petit salon. Te plaît-il ? Vois, on a ouvert une porte qui le rend tout proche de ta chambre.

Je n'ai pas répondu : j'avais le souffle coupé. Mais, de nouveau, je me suis jetée dans leurs bras.

— Tu n'as pas bonne mine, a constaté papa un peu plus tard en scrutant mon visage. Le Japon ne t'a pas réussi.

— La fatigue du voyage, a promptement ajouté Suzy. Laissez-la un peu se remettre, Robert. Quand tu seras reposée, Gégé, il faudra peut-être que tu téléphones. Il y a un de tes camarades qui a appelé plusieurs fois pour prendre de tes nouvelles. Précisément hier encore ! Je n'ai pas cru mal faire en lui annonçant ton retour imminent.

Papa a eu un petit rire malicieux.

— C'est, au moins, celui qui est venu, il y a quelque temps, demander ton adresse : un certain Enguerrand de Coucy. J'ai l'impression qu'il s'intéresse beaucoup à toi, ma petite fille.

— C'est un bon copain, ai-je dit évasivement. Je lui téléphonerai un de ces jours.

Ça devait arriver. Mais je ne m'imaginais pas que ce serait si tôt ! Je vais déjà avoir à subir l'assaut de cet amour à la fois impétueux et timide, d'autant plus touchant, mûri à travers les giboulées d'une adolescence difficile ; et, cela, alors que mon âme n'est qu'une plaie vive où un nom demeure gravé en caractères qui s'obstinent à saigner. Oh ! maman, pourquoi faut-il que ce soit lui qui ait contribué à ta mort, lui, tendre, dévoué, intuitif, efficace, posé et qu'on voit si mal commettant une tragique faute de conduite ?

29 juin

J'ai tergiversé un jour, deux jours, puis, finalement, je me suis décidée à appeler Guerrand.

— Je vais chez toi ou tu viens ? m'a-t-il demandé aussitôt.

— J'aime mieux passer chez toi si tu n'y vois pas d'inconvénient.

— Aucun, à condition que tu te dépêches d'arriver. Depuis le temps que je t'attends.

— Mais tu étais parti, voyons !

— Oui, mais moi, c'est pas pareil. Allez, rapplique.

Nous ne nous sommes même pas serré la main à mon arrivée.

— Enfin, toi ! a-t-il fait seulement en m'introduisant dans sa chambre. Ne t'assieds pas tout de suite. Reste un peu debout que je te regarde.

Ses yeux s'emparaient de moi tout entière. Je sentais qu'il m'examinait, me détaillait, cherchant à m'étudier en profondeur.

— As-tu bientôt fini ? Puis-je m'asseoir ?

— Tu as changé, Gégé, finit-il par dire.

— Toi aussi !

Il n'avait plus son air blasé, ironique, voire cynique. Ses épaules s'étaient élargies. Son visage avait bronzé. Un duvet noir sinuait au-dessus de sa lèvre supérieure.

— Ce que tu fais homme !

— C'est vrai ! dit-il sérieusement. Finies les bêtises ! Le boulot, le vrai boulot. La vie qu'on empoigne à pleins bras. Je te l'ai écrit. Et toi, tu fais femme, mais femme triste.

— Tu exagères, Guerrand.

— Non, non, je vois ça dans tes yeux. Tu es jolie, mais tu fais — comment dirai-je ? — nostalgique. C'est l'effet du Japon ?

— Avant de partir, je n'étais pas toujours gaie non plus.

— Oui, je sais, à cause de ta mère... N'empêche, c'était différent : plus amer, moins intense en profondeur... Allons, maintenant installe-toi sur le divan. C'est plus confortable pour écouter une demande en mariage.

— Attends encore, Guerrand. Je te jure, je n'ai pas envie maintenant.

— Ah ?

Il est venu s'asseoir auprès de moi.

— Je te déplais ou tu n'as pas confiance ?

— Ni l'un ni l'autre. Je ne peux pas, c'est tout.

Je l'ai senti déçu, mais non découragé. Manifestement, il espérait encore.

— Note que je te comprends, dit-il au bout d'un instant. Tu veux me mettre à l'épreuve. D'accord ! Je n'ai pas peur. Le père Jaouen a fait des prodiges. Quand je pense où j'ai failli tomber à cause de cet animal de Bout... (Il a mangé le nom pour continuer). En un sens, ça a été une bonne chose qu'un jour de grand cafard je sois allé un peu fort. Mais quand vous m'avez tiré d'affaire, toi et Renaud, c'était moins cinq... Ah ! Renaud, ça, c'est un type ! Ce qu'il a pu être chic pour moi ! Je le bénirai jusqu'à mon dernier souffle... Veux-tu que je te dise, eh bien, c'est un homme comme il n'y en a pas deux sur terre ; il est exceptionnel... Mais qu'est-ce que tu as ? Tu fais une drôle de tête...

Cette demande à laquelle pourtant je m'attendais... Et puis cet éloge qui tournait au panégyrique...

— Ne me parle plus de lui, veux-tu ?

— Tu n'es pas d'accord ? Qu'est-ce qu'il t'a fait ?

Je suis demeurée muette.

— Est-ce qu'il t'aurait manqué, par hasard ? Si tu me le disais, j'aurais d'abord envie d'aller lui casser la figure, et puis, ensuite, je réfléchirais, je ne le croirais pas. Gégé, eh bien, parle...

Il a crié mon nom en me saisissant aux épaules et en me secouant sans douceur. J'ai fermé les yeux et me suis adossée aux coussins, me sentant faiblir.

— Il ne m'a rien fait ! Que du bien ! Mais c'est lui qui a tué maman !

— Mince alors !

C'est tout ce qu'il a trouvé à dire sur le coup. Puis il m'a empoigné les mains, gauchement, vigoureusement :

— Tu te trompes. Je te jure que tu te trompes. C'est impossible !

— Si, si, c'est vrai. D'abord, il ne s'appelle pas Renaud ou, du moins, pas exactement. Il s'appelle Jean-Renaud de Vieilleville et je me rappelle bien que c'était le nom de l'auteur de l'accident. Et, quand je le lui ai dit, il n'a pas protesté.

— Vieilleville ? Le reporter de *France-Monde* ? Mais nous croyions que c'était un policier ! Si c'est vraiment ce Vieilleville... Et ce serait lui qui se serait occupé de toi, de moi, avec un dévouement pareil, alors qu'on se l'arrache de partout ?

— Il paraît.

— Et tu viens maintenant prétendre que c'est lui qui a causé la mort de ta mère ? Il n'a pas bondi quand tu lui as sorti ça ?

— Non. Il est devenu blême, mais il n'a pas nié. C'est pour cela qu'il s'occupait tant de moi, tu comprends ; de toi, ensuite. Cela devait soulager sa conscience.

— Plausible, mais cela ne me convainc pas encore.

Lui, auteur d'un pareil accident... ? Ça me paraît dément.

Je m'étais redressée.

— A moi aussi. Cela m'a d'abord semblé invraisemblable. Mais puisque je te dis qu'il n'a pas protesté ! Pas un démenti, rien ! Un silence atroce. Il avait l'air changé en statue. C'est tout.

— Tu sais, cela peut arriver à des gens très bien de causer un accident. Ton père était bien dans le coup, lui aussi !

— Oui, mais pas tant que lui ! Et qu'on tue n'importe qui, cela me semble très triste mais je peux l'admettre. Quand il s'agit de maman, c'est autre chose, surtout quand c'est la conséquence d'une infraction idiote, impardonnable. Refuser une priorité, tu te rends compte !

— Ça me paraît d'autant plus extraordinaire. Il y a longtemps que tu l'as appris ? Comment, d'ailleurs ?

— A Hong-Kong, par hasard. Il y a trois, non, quatre jours.

Nous nous sommes tus tous les deux. Guerrand a dit enfin :

— Je vois que je tombais mal avec ma demande en mariage. Tu es plutôt perturbée. On remettra ça... Parle-moi du Japon.

— Pas envie !

— Comment va Kikou ?

— Bien, mais je n'ai pas pu rester chez elle jusqu'au bout parce que son frère avait entrepris de m'épouser.

— Lui aussi ? Ah ! mais non ! Tu sèmes le microbe conjugal, ma parole !

Je me levais.

— Et chez toi, l'ambiance ? demanda-t-il encore, sans essayer de me retenir.

— Pas mauvaise. On est vraiment très gentil avec moi. C'est peut-être moi qui ai changé, depuis que je sais...

— Je t'ai écrit que ta marâtre ne devait pas être si terrible, dit-il en m'ouvrant la porte. Eh bien, je passerai te voir un de ces jours. Je ne pense pas qu'on me mette dehors. La dénommée Suzy n'a pas eu l'air de me trouver repoussant.

1er juillet.

Me voilà donc réinstallée dans ma coquille parisienne, abandonnée pour fuir une souffrance et où je la rapporte décuplée, que dis-je ? centuplée. Cette fois, je ne cherche plus à trouver dans des virées stupides une illusoire et inepte consolation. Au contraire, je me replie sur moi. Notre folle bande a voulu me reprendre, mais j'ai décliné les invites. Du reste, ils ne vont pas tarder à s'égailler dans le vaste monde : les uns pour faire de la coopération au titre militaire, les autres... pour je ne sais quoi. Puis les vacances vont aussi réclamer leurs proies. Il paraît que nous ne partirons qu'en août... si nous partons. Rien n'est encore décidé.

Ma douleur a changé de face. Bien sûr, elle a toujours le visage de maman, mais il me semble qu'il s'est reculé. Une autre figure occupe presque en entier l'écran de ma mémoire. C'est elle que je vois presque constamment ; c'est à elle que j'adresse des invectives cinglantes qui s'émoussent contre son silence, jusqu'à ce que, poignardée par mes propres paroles, je m'écroule en larmes. Et alors, je me retrouve dans des bras consolants, contre une poitrine rassurante, j'entends des mots apaisants et doux. Je m'en arrache, j'essaie moralement de me boucher les oreilles. De nouveau, des mots cruels, que je veux vengeurs, me montent aux lèvres. Et le pendule recommence son va-et-vient inexorable.

Suzy est parfaite pour moi, je dois en convenir et je lui en suis reconnaissante. Sa persévérante douceur, son inaltérable patience, ont fini par l'emporter. Nos rapports sont devenus quasi amicaux. Je sens que papa et elle n'osent pas tout à fait s'en réjouir ; que mon changement les étonne, les inquiète presque. Ils doivent se demander à quoi attribuer cette mélancolique douceur qui a remplacé mon agressive tristesse. Maintenant, c'est papa qui me pousse à sortir et moi qui refuse. Je me plais dans le sanctuaire que la délicatesse de Suzy m'a aménagé. Ils sont heureux tous les deux, mais discrètement, sans une ostentation susceptible de me blesser. Il semble d'ailleurs qu'ils n'aient pas chassé l'ombre de maman comme je l'ai craint au début de leur mariage. Kikou n'avait peut-être pas tort quand elle me disait, en parlant de papa, que deux belles images peuvent se juxtaposer l'une à l'autre sans se nuire réciproquement. Peut-être aussi, absorbée que je suis dans mes pensées, ai-je l'épiderme moins sensible ; ou suis-je devenue plus indulgente parce que, moi aussi, moi qui avais juré haine et mépris à un tel sentiment, je m'y suis laissée prendre dans une conjoncture abominable ?

En dehors d'eux, je ne vois donc guère que Guerrand. Il me parle de son travail qui le passionne ; de sa vie sur le *Bel-Espoir*. Il se garde de toute allusion sentimentale, ce dont je lui sais gré. En revanche, et je lui en ai du reste voulu, il a entrepris de jouer au chirurgien explorant une plaie. Avec des précautions maladroites, d'ailleurs touchantes, il est revenu sur l'accident de maman pour m'en faire préciser les détails. Je me suis dérobée : c'est un thème trop douloureux. Autrefois, je pouvais encore en parler : maintenant, cela m'est devenu impossible. Je sais bien que Renaud de Vieilleville demeure son idole. Qu'il soit en grande partie responsable de ce drame gêne son culte.

CHAPITRE XII

3 juillet

Une revenante a surgi hier : Chrystel Parme, souriante ou, du moins, s'efforçant à la gaieté. Je l'avais accueillie par les banalités d'usage, avec une amabilité sans conviction, me sentant d'avance tellement loin de tout ce qu'elle allait sans doute me raconter.

— C'est gentil de venir me voir, Chrystel. Qu'êtes-vous devenue depuis votre retour ?

Elle a eu un petit sourire.

— Pas grand-chose. J'essaye de me remettre dans ma peau, mais je m'y sens mal. Je me suis acheté des robes. J'ai joué à la maîtresse de maison chez mon oncle. Mes cours de dessin sont terminés pour cette année, alors je sors un peu avec des amies. Bien creux, tout cela !

Puis, après une pause :

— Je ne l'ai presque pas revu, vous savez... ?

Je n'ai pas demandé qui, sachant bien qu'elle faisait allusion à Gérard Bouteyron. Pourquoi mon esprit s'est-il évadé loin de Chrystel et m'a-t-il tout à coup ramenée près de Guerrand évoquant le gouffre vers lequel il glissait et avalant à moitié, par une discrétion louable, le nom de celui qui lui en facilitait la chute à ce que j'ai deviné : « Bout... » Je suis sûre que c'est ce qui lui a échappé.

— Vous ne m'écoutez pas, Géraldine. Et j'ai tant besoin de votre amitié !

— Mais si, Chrystel, je suis tout oreilles. Vous disiez donc que vous aviez peu revu Gérard Bouteyron... ?

— Oh ! oui, très peu ! Enfin, je suis tout de même parvenue à lui arracher le motif réel de son départ précipité de Hong-Kong : c'était tout simplement à cause de l'arrivée de quelqu'un qu'il ne voulait pas voir... Vous vous rendez compte de son mauvais caractère, combien il peut être déraisonnable et prisonnier de ses antipathies !

— Et cependant vous l'aimez ! ai-je observé machinalement.

De nouveau, mes pensées avaient pris leur essor, à la suite de ses paroles. J'ai été tout à coup persuadée et je le suis de plus en plus, que c'est M. de Vieilleville que Gérard Bouteyron a fui. L'idée d'un chassé-croisé entre eux deux, l'un tenant à éviter celui qui, au contraire, voulait le rencontrer, m'était déjà venue. Mais c'était du temps où j'avais fait de Gérard Bouteyron un criminel recherché par Interpol et où celui que j'appelais alors Renaud faisait, pour moi, partie de la police... Mais, maintenant que je suis détrompée à ce sujet, la raison du désir de rencontre de l'un et de la dérobade de l'autre m'apparaissait moins encore...

Cette fois, Chrystel n'a pas remarqué ma distraction. Elle était trop occupée à s'analyser.

— Oui, hélas ! Quand il veut, il peut être absolument délicieux, vous savez... Un charmeur sans égal ! Ce sont peut-être ces revirements qui m'attachent à lui. Quand il est gentil, j'en suis doublement heureuse et, quand il ne l'est pas, je veux de toutes mes forces qu'il le redevienne. Et puis, je vous ai dit qu'il a souvent des ennuis ! Alors je pense qu'il a besoin de moi. En ce moment, je crois qu'il en a beaucoup.

— Quel genre d'ennuis ?

— D'argent, je suppose. Comment en aurait-il d'autres ? Et il est tellement dépensier !

— Eh bien, vous, Chrystel, puisque vous en avez, m'avez-vous dit, vous ne pouvez pas le dépanner ?

Elle jouait nerveusement avec ses gants.

— Si, évidemment. Mais il m'a envoyée sur les roses quand je le lui ai proposé. Il m'a dit qu'il ne s'agissait pas de ça. Pourtant, je n'imagine pas autre chose... Je ne suis même plus sûre qu'il ait envie de m'épouser, ni, du reste, qu'il en ait jamais eu vraiment l'idée. Ça le renflouerait pourtant !

— Mais c'est plutôt sympathique, ça ! Cela prouve que c'est bien vous qui lui plaisez et non votre argent.

Ses yeux mauves dans le vague, elle était pensive.

— Et si ça n'avait été qu'une espèce de jeu, vous voyez ce que je veux dire, une tentative pour se changer les idées... ?

— Se les changer de quoi, Chrystel ?

— Si je le savais !

Besoin de savoir ; d'élucider cette énigme qui continuait à m'intriguer, j'ai poussé une pointe un peu perfide.

— Ne m'aviez-vous pas parlé de quelqu'un, un parent, un ami, je ne sais plus, qui s'intéresse à lui ? Il pourrait peut-être faire quelque chose ?

— Mais Gérard ne veut plus le voir ! Cela aussi, je vous l'ai dit ! Il a la reconnaissance mauvaise. Cet ami — ou plutôt l'ami de ses parents car il est bien plus âgé que lui — l'a tiré d'un très mauvais cas où il s'était fourré. En retour, l'ami en question a voulu peser sur lui. Il jouait déjà au mentor, paraît-il, et Gérard l'admettait mal. Il est tellement ombrageux ! Et puis il s'imagine — je ne vous en ai pas parlé — que cet ami a joué un rôle dans le divorce de ses parents. C'est d'ailleurs probablement faux. Gérard fabule facilement. Je me suis aperçue qu'il brode sur des suppositions et a tôt fait de les transformer en certitudes. Ce qu'il y a de sûr, c'est qu'il nourrit contre lui une vieille rancune. Alors il se trouve coincé entre ce ressentiment et une gratitude qu'il peut difficilement éluder. C'est ça, le drame, vous comprenez ?

J'étais un peu perdue dans ce labyrinthe de sentiments contradictoires et le suis encore. Gérard Bouteyron a beau m'être moins antipathique, il m'intéresse surtout en fonction de Chrystel que je plains. Mais, tout à coup, j'ai réalisé que tout cet imbroglio serait démêlé si cet ami était précisément M. de Vieilleville. Redresseur de torts, directeur de conscience, c'est tout à fait dans sa ligne. De toute façon, en vouloir à quelqu'un parce qu'il vous a secouru, il faut être un

Gérard Bouteyron pour cela. Mon grief contre Renaud de Vieilleville est d'une autre sorte !

Nous en étions là quand Guerrand est survenu. Son arrivée a contraint Chrystel à sortir de ses préoccupations. Guerrand s'est lancé sur son thème favori : sa vie à bord du *Bel-Espoir*. J'ai écouté distraitement, car, pour moi, le sujet commence à être épuisé, mais Chrystel a eu l'air de s'y intéresser. Ils m'ont fait compliment de mon petit salon. Je leur ai servi des jus de fruits et nous avons passé ensemble des moments agréables.

— Elle est mignonne, cette gosse, m'a dit Guerrand après son départ. Elle s'appelle Chrystel ? Chrystel comment ?

— Chrystel Parme.

— Ça lui va tout à fait. Son nom est assorti à ses yeux. Mais c'est Violette de Parme qu'on devrait plutôt l'appeler, tu ne trouves pas ?

Il a marqué une pause.

— Autre chose : je ne sais pas si j'ai raison de t'en parler. Vieilleville est revenu me voir. Un examen de contrôle, en somme, qui a paru le satisfaire. Il était déjà venu peu après mon débarquement du *Bel-Espoir*, avant de repartir pour le voyage au cours duquel il t'a rencontrée. Pour me tâter le pouls, je suppose, et il avait déjà eu l'air content de moi. De nouveau, il s'est intéressé à mon travail, m'a posé une foule de questions, mais il n'a fait aucune allusion à toi.

Evidemment ! Qu'aurait-il pu en dire ?

— Et, figure-toi, nous causions tellement comme des copains, je me sentais en confiance avec lui au point que, pour un peu, je l'aurais, lui aussi, interrogé au sujet... de l'accident !

Un petit rire sarcastique m'a échappé.

— Il n'aurait plus manqué que ça ! Le sujet doit lui être plutôt désagréable.

— Gégé, ne sois pas méchante. Si tu le voyais, il te ferait de la peine comme il m'en a fait à moi. Je l'ai trouvé maigri, vieilli, avec des rides qu'il n'avait pas avant... Et c'est bien le grand reporter de *France-Monde* ! Il doit être fatigué, surmené. C'est d'autant plus chic qu'il prenne encore le temps de s'occuper de moi.

Qu'il souffre, je veux bien l'admettre. Avoir une mort, même involontaire sur la conscience, ce doit être abominable, cela plus encore maintenant qu'il me connaît davantage, que je me suis presque jetée à sa tête pour lui demander de m'épouser ! Réaliser à quoi ont abouti son dévouement, sa sollicitude, a dû accroître encore ses remords... Comme résultat, on peut dire, en effet, que c'est réussi ! Et si, par hasard, il s'était mis à m'aimer, lui aussi... ? Il y a une Gégé qui le souhaiterait à mourir et une autre Gégé qui se traite d'exaltée.

Conséquence : voilà maintenant ma souffrance augmentée de la sienne. J'ai dû faire un effort considérable pour dire en feignant l'indifférence :

— Qu'y puis-je ? Je conviens que, pour lui, ce soit pénible mais, moi, que devrais-je dire... ?

— Je voudrais essayer de te consoler, Gégé. Accepte de m'épouser. A force de t'aimer, je crois que j'y arriverai. Réfléchis : au fond, ça ne change pas grand-chose à la mort de ta mère que tu connaisses maintenant l'autre auteur de l'accident. Si tu pouvais te mettre ça dans la tête !

— Je ne me l'y mettrai jamais. C'est même devenu pire. Ça aurait pu être n'importe qui, mais pas lui !

— Gégé !

J'ai dû faire une drôle de figure en lançant ma protestation car il m'a prise par les poignets et m'a obligée à le regarder en face.

— Est-ce que tu l'aimerais, par hasard ?

Je n'ai rien répondu. J'ai seulement baissé la tête. Il m'a lâché les mains et a dit tristement :

— Alors, je comprends : je n'ai aucune chance de te plaire. Je ne suis rien en comparaison de Vieilleville.

— Ne dis pas ça, Guerrand, surtout à présent que tu as tant changé, tant gagné...

Ses épaules se sont soulevées dans un geste désabusé.

— Grâce à lui ! N'empêche que je suis un zéro tout de même ! Tu vois, il n'y a pas que toi à devoir s'enfoncer quelque chose dans le crâne : moi aussi ! Je n'ai plus qu'à me répéter que mon rêve de t'épouser est fichu, bien fichu... Sur ce, je m'en vais te laisser. Pas la peine que je m'éternise ici ! Dans ces conditions, je dois plutôt t'embêter.

— Ce n'est pas vrai, Guerrand. Ne me laisse pas tomber alors que j'ai besoin plus que jamais d'être entourée par quelqu'un qui me comprenne. Reviens me voir souvent, au contraire, si cela ne te coûte pas trop.

— J'ai appris à faire des efforts. Ça n'en sera jamais

qu'un de plus ! Alors, à un de ces jours ! Et tâche d'être raisonnable.

Raisonnable ? Alors que je suis torturée...

Il s'en allait quand je l'ai rappelé à cause du soupçon qui m'avait effleurée, quittée, qui revenait et dont je voulais avoir le cœur net :

— Dis donc, celui qui te procurait la drogue...

— Oui, eh bien... ?

— Tu ne me dirais pas son nom... ?

— Sûrement pas. Qu'est-ce que ça peut te faire ?

— Tu as tout de même laissé échapper : « Bout... » Alors, ça me trotte dans la tête. Car ta petite violette de Parme a un copain qui la fait souffrir et dont elle se préoccupe beaucoup. Il était avec nous au Japon et à Hong-Kong, un nommé Gérard Bouteyron. Ça ne serait pas lui, par hasard ?

— Je voulais être discret mais, puisque tu t'en doutes déjà, ça devient inutile. Eh bien, oui ! Note que je ne la félicite pas, la gosse ! Si elle est vraiment toquée de lui, elle est plutôt mal tombée avec ce zèbre-là !

— Ce n'est pas tout : de ses confidences, j'arrive à déduire que Gérard Bouteyron connaît Renaud de Vieilleville. Qu'est-ce que tu en dis ?

— Je dis que je suis un peu soufflé. Quoique pas tellement, en y réfléchissant. Je me suis toujours demandé par quel miracle Vieilleville s'était pointé dans ma mansarde à la minute précise où, sans lui, je partais dans l'autre monde. Peut-être a-t-il croisé Bouteyron en chemin et, s'il l'avait un peu pris en charge et se doutait de son trafic, cherchait-il à repérer ses clients pour essayer de limiter les dégâts.

— Car tu étais vraiment son client ? Oh ! Guerrand !

— Faut pas exagérer. Il m'a donné l'idée d'essayer un jour où il m'a vu vraiment à plat, c'est vrai. Ensuite, il m'a refilé de la came deux fois, d'accord. Après, c'est moi qui lui en ai redemandé. Il a dû avoir des scrupules, car il s'est fait prier, puis il a fini par m'en rapporter en me prévenant d'y aller doucement, ce que je n'ai pas fait. C'était à un moment où j'en avais marre de tout. Il y avait une pagaille noire à la maison. Pour un peu, d'écœurement je me serais tué. Je ne sais pas si tu te souviens...

— Oui, Guerrand, je me rappelle...

C'était alors que je l'avais giflé. Je gardais, amer, le souvenir de mon réflexe indigné et désespéré.

— Mais il se droguait pour de bon, lui ?

— Penses-tu ! Tu dois bien penser que, chez les paras où il faisait son temps de régiment, on s'en serait aperçu et qu'on l'aurait dirigé d'office vers un service de désintoxication. Non, mais il est entre les mains d'une bande de crapules qui le manipulent et l'obligent à leur servir plus ou moins d'intermédiaire. Il en a peur car ce sont sûrement des gars à ne reculer devant rien.

— Mais puisqu'il était à la caserne... ?

— Et les permissions, qu'est-ce que tu en fais ?

— Et comment ont-ils tellement barre sur lui ?

Guerrand haussa les épaules :

— Il a des dettes, je suppose. Il lui faut un argent fou. Peut-être a-t-il joué et triché, je ne sais pas.

En tout cas, ils le tiennent et il aura du mal à s'en libérer.

— Chrystel m'a dit qu'il avait des ennuis. Ça doit être ça.

— S'il en a, il les aura bien cherchés. Il fréquentait n'importe qui depuis la mort de sa mère.

— C'est affreux ! Dire que Chrystel ne se doute de rien ! Crois-tu qu'on ne pourrait pas faire quelque chose pour elle ?

— Je ne vois pas quoi. Je ne peux pas aller lui déballer tout ce que je sais sur son copain, tout de même, mais je reconnais que c'est triste pour cette pauvre gosse.

J'ai eu envie de lui suggérer d'en parler à Renaud de Vieilleville. Je n'en ai pas eu le courage. Rien que prononcer son nom me fait trop mal. Je me le reproche maintenant.

⁂

13 juillet

Les jours se traînent, tous pareils, mornes, pesants de tristesse. Je n'ai plus, hélas, à noter dans mon journal ces rencontres au kiosque qui me réchauffaient l'âme. Renaud de Vieilleville ne vient plus y acheter de journaux. Il ne peut que désirer m'éviter maintenant. Se sachant en grande partie cause de mon immense désarroi, il a tenté d'y porter remède. Son irrésistible ascendant a agi. Il est devenu « ma conscience ». Mais ses bonnes intentions ont abouti à un désastre. Tout est devenu pire qu'avant. Une conscience, même si elle a revêtu forme humaine, ne doit exercer que moralement son influence ; elle triche si son emprise vient à s'augmenter d'un attrait physique. Renaud de Vieilleville, pourquoi n'étiez-vous pas tordu et bossu, affligé d'un nez de travers et d'yeux bigles ? Voilà ce qu'on doit être quand on veut s'occuper de la conduite d'une jeune fille qu'on a privée de sa mère !

Peut-être alors ne l'eussé-je pas écouté si volontiers... Aurais-je été aussi docile à ses conseils ? Je m'insurge contre tout ce qu'implique cette idée ; je la repousse de toutes mes forces car, autant et plus que son physique, ce sont les qualités de cœur et d'esprit que je lui prêtais, qui m'ont attirée vers lui. Comment aurais-je pu me douter... ?

Suzy continue à être parfaite avec moi. J'arrive sans heurt désormais, et même avec une certaine douceur mélancolique, à insérer ma vie, non entre papa et elle, mais à côté d'eux, dans une place que leur tendresse m'avait réservée quand je leur étais le plus hostile. Mais ce baume est impuissant contre ma peine. Peut-être jadis l'eût-il été si j'avais été plus raisonnable, quand je n'avais qu'un chagrin au cœur. Mais, maintenant, j'en ai deux et découvre avec effroi, avec honte, que le second se conjugue avec le premier jusqu'à presque l'éclipser.

Guerrand espace ses visites, ce qui est évidemment plus raisonnable, mais il me manque. Je n'ai pas pu m'empêcher de le lui reprocher. Il m'a répondu d'un ton bougon que, travaillant beaucoup, il avait besoin de s'aérer. J'ai appris, en effet, qu'avec sa moto, il faisait des ballades solitaires aux environs de Paris. Il a, je crois, sincèrement renoncé à moi, mais, sous une apparente crânerie, je le sens endolori et cela m'attriste. Quant à Chrystel, elle est de plus en plus tourmentée. Elle est arrivée alarmée avant-hier.

— Gérard est malade, Géraldine. Sérieusement, je le crains, et il n'a personne pour s'occuper de lui. Je ne peux tout de même pas m'installer à son chevet pour le soigner ! Il ne m'a même jamais permis d'aller chez lui.

— Comment l'avez-vous su alors ?

— D'habitude, nous nous rencontrons dans un petit bistrot. Il n'est pas venu à notre dernier rendez-vous et il m'a passé un pneu. C'est la première fois. D'ordinaire, il n'y met pas tant de façons. Il ne vient pas et c'est tout.

⁂

Apitoyée, j'ai donc relancé Guerrand. Il connaît bien Chrystel maintenant, l'ayant rencontrée plusieurs fois chez moi, et j'ai insisté pour qu'il aille voir si Bouteyron est réellement aussi malade qu'elle se l'imagine. Il a commencé par refuser.

— Certes non, je n'irai pas. Je ne tiens pas du tout à le revoir, cet animal-là ! D'abord, je ne sais même pas où il crèche : il déménage tout le temps comme s'il avait la police à ses trousses. Au fait, ça doit être à cause des types pour lesquels il travaillait et dont il a peur...

— Mais s'il est vraiment malade ?

— Comment veux-tu que je fasse puisque je ne sais même pas où il habite ?

L'argument est sans réplique. Chrystel l'ignore aussi puisqu'il n'a jamais voulu la recevoir chez lui et sait seulement que c'est dans une mansarde de la rue de Bagnolet. C'est, du reste, une des anomalies de ce garçon : ce respect pour une fille naïvement amoureuse, coexistant avec l'acceptation de l'ignoble besogne qu'il s'est laissé imposer. Preuve qu'il n'est pas tout à fait gangrené.

Je l'ai fait remarquer à Guerrand en ajoutant, ce qui n'était pas très chic de ma part, mais il m'a semblé que je le devais :

— Es-tu sûr d'avoir le droit d'être impitoyable pour lui ? Toi-même, sais-tu bien ce que tu aurais pu devenir sans...

Je n'ai pas prononcé ce nom qui me brûle le cœur, mais c'était inutile. Guerrand a paru ébranlé :

— Tu n'as pas tout à fait tort. Bon, eh bien, je vais chercher... Je tâcherai aussi de contacter de vagues copains qui pourraient avoir une idée plus précise de sa tanière. Décidément, je n'ai pas fini de courir ces temps-ci... Ah ! à propos, veux-tu que je te donne des nouvelles de Kikou ?

— Comment ? Elle t'a écrit ?

— Plus exactement, elle m'a répondu. Il y a déjà quelque temps de cela. Je lui avais demandé certains renseignements que je la pensais susceptible de me fournir.

— Elle va bien ?

— Oui, oui. Hamato demeure inconsolable, paraît-il. Il faut croire qu'il était sérieusement mordu.

⁂

16 juillet

Guerrand vient de me téléphoner. Il a passé son 14 juillet à explorer les impasses de la rue de Bagnolet et des rues avoisinantes. Il pense que ce pourrait être, dans l'impasse des Deux-Portes, qui donne, non pas dans la rue de Bagnolet mais dans la rue Saint-Blaise. Il y retournera demain ou après-demain. Je me demande bien quelle lubie lui a pris d'écrire à Kikou.

CHAPITRE XIII

18 juillet

J'étouffe. J'ai l'impression que ma poitrine va éclater tant mon cœur bat à grands coups.

Guerrand me quitte à l'instant, revenant de chez Bouteyron et ce qu'il m'a appris... oh ! sur le moment, j'ai cru me trouver mal. Il a bondi dans ma salle de bains et est revenu avec de l'eau dans mon verre à dents qu'il m'a à moitié versée sur la tête.

— Ne me noies pas ! ai-je crié, suffocante.

— C'est comme ça que je soignais les gars sur le *Bel-Espoir*. Ça leur réussissait. A toi aussi, ça a l'air.

— Guerrand, c'est bien vrai ce que tu me dis... ?

— Pour mieux te convaincre, veux-tu que je recommence ?

— Oh ! oui, oui.

Ce qu'il m'a répété, je l'écris pour pouvoir le relire indéfiniment car, lui parti, je me mets à douter de ce que j'ai entendu. Je me demande si j'ai rêvé. Je suis sûre que, d'ici à quelques instants, je n'y pourrai plus tenir ; que je me précipiterai sur le téléphone pour le supplier de me le redire une troisième fois.

Il est donc allé chez Bouteyron. Il a eu du mal à

trouver son gîte : une sordide chambre de bonne, pas même aménagée ; rien de commun avec la mansarde où lui, Guerrand, se réfugiait et où je l'ai rejoint un jour mémorable.

Bouteyron était couché dans un mauvais lit, ruisselant de sueur, claquant des dents. « Il devait avoir une fièvre de cheval », a dit Guerrand. « Pas loin de 40°, sûrement ! Et il toussait à s'arracher la poitrine ! Des mots tout bêtes sont d'abord les seuls qui me soient venus à l'esprit. »

« — Ça n'a pas l'air d'aller, mon vieux ?

Bouteyron a essayé de sourire.

« — Pas trop, comme tu vois. Comment arrives-tu ici ? Je ne suis pourtant pas facile à dénicher.

« — Par Chrystel Parme. Elle s'inquiète de toi.

« — Tiens, tu la connais ? Eh bien, tu peux lui dire qu'elle a bien tort. Il faut croire qu'elle a du temps à perdre.

Une quinte de toux l'a interrompu.

« — Si ma piaule ne te dégoûte pas trop, assieds-toi un instant puisque tu as voulu venir.

— Je me suis assis, a continué Guerrand. Figure-toi que je ne regrettais plus d'être venu. Je le regardais et ça m'ôtait toute envie de le blâmer et de lui en vouloir. Il avait des yeux creux à y fourrer les poings et des pommettes qui paraissaient encore plus rouges de saillir dans une figure livide, si étroite que ma main l'aurait recouverte.

« — Qu'est-ce qui t'est arrivé pour te mettre dans un pareil état ?

« — Un coup de froid que j'ai négligé. En cette

saison, c'est plutôt idiot. Je ne mangeais guère depuis quelque temps. Je devais être assez réceptif aux microbes... La dèche noire, Guerrand.

« — Tu ne vas pas rester comme ça. Je vais aller chercher un taxi et t'emmener à l'hôpital. Rien qu'à te voir, ils te prendront tout de suite, va !

« — Je ne veux pas... J'aime mieux crever ici.

De nouveau, il s'est mis à tousser. Quand il a pu parler, ç'a été pour dire d'une voix étranglée :

« — Il y a des fripouilles qui me tiennent, tu t'en doutes. Je leur dois du fric, pas mal. Ils m'ont surpris à tenter un coup pas tout à fait régulier dans une boîte clandestine où je cherchais à me refaire. C'est pour ça qu'ils m'obligeaient à refiler leur camelote. J'ai essayé plusieurs fois de les semer ; ils sont toujours arrivés à me rattraper. A présent, je crois qu'ils ont perdu ma trace mais, à l'hôpital, ils auraient des chances de me retrouver.

Une nouvelle quinte l'a pris. A moitié étouffé, il a chuchoté :

« — Tu... tu en prends toujours... ?

« — Non. Fini. Et pour de bon, tu peux croire ! J'ai failli en claquer et j'ai compris. J'ai été sauvé de justesse... Par quelqu'un que tu dois connaître... Renaud de Vieilleville !

« — Lui !

Guerrand a fait une pause. Je l'écoutais, crispée, haletante :

— Mais va donc ! ai-je crié, à bout de nerfs.

— Du calme, Gégé. Je continue. Voilà mon Bouteyron qui reprend. Sa toux lui accordait un répit :

« — Si je le connais ! C'est un type à qui je devrais baiser les pieds ! Et pourtant, je ne peux pas l'encaisser ! Affreux, hein ? Je me suis conduit avec lui comme un malpropre du fait d'une idée que je m'étais mise dans la tête. Je me suis figuré que c'était à cause de lui que ma mère avait divorcé et je lui en ai voulu à mort. Plus tard, j'ai compris que ce ne devait pas être vrai car elle en a épousé un autre avec lequel elle a été horriblement malheureuse, mais j'ai quand même continué à le détester car je l'en rendais responsable. Il avait de l'influence sur elle, il aurait dû la chapitrer davantage, éviter qu'elle ne fasse cette grosse bêtise... Plus tard, j'ai réalisé que ce n'est pas si facile d'empêcher quelqu'un de faire ce qu'il veut. Moi, c'est fou ce qu'il a pu me tarabuster, m'accabler de conseils après la mort de ma mère. Il prétendait qu'elle m'avait confié à lui. Mais, plus il m'en disait, pis je faisais ! Pourtant, il ne se décourageait pas. Et, en fin de compte, il m'a évité la prison ! Pour une histoire d'accident ! »

Guerrand s'est arrêté de nouveau, interrompu par un cri que j'ai poussé et qui venait du fond de moi. C'est alors que j'ai failli m'évanouir. Il a repris quand il m'a vue à peu près remise grâce à son énergique traitement du verre d'eau :

« — D'accident d'auto, oui, a poursuivi Bouteyron. Nous étions ensemble, Vieilleville et moi. Il essayait une nouvelle voiture, une bagnole du tonnerre. J'ai voulu prendre le volant un instant. Il a d'abord refusé, puis j'ai tellement insisté qu'il a cédé. Et alors... alors... je suis allé trop vite. Nous arrivions sur une route à priorité. J'ai carambolé une autre voiture. Il y a eu une femme tuée, la mère d'une petite que j'ai rencontrée ce printemps au Japon. Tu parles si je la fuyais ! Et je n'avais pas dix-huit ans au moment de l'accident ! Pas de permis, évidemment ! Alors, quand on est arrivé pour le constat, Vieilleville a dit que c'était lui qui conduisait !

— Il s'est mis à pleurer comme un gosse, a achevé Guerrand. J'en étais vraiment remué. Puis des frissons l'ont secoué de nouveau. Un nouvel accès de fièvre, sans doute. Voyant ça, je suis allé téléphoner à Vieilleville qui est venu tout de suite et qui l'a fait transporter chez lui. Conclusion : tu as rudement bien fait de m'envoyer le voir.

Moi, je pleurais maintenant. Mes nerfs avaient craqué pour tout de bon. Cramponnée aux mains de Guerrand, je les inondais de larmes.

— Mais comment tout cela a-t-il pu passer ? Le témoin auquel j'ai parlé plus tard et qu'on n'avait pas convoqué, m'avait dit...

— Oui, dit Guerrand placidement. Et, au lieu de me répéter ses paroles quand je t'ai questionnée pour avoir des précisions car je n'arrivais pas à admettre qu'un type comme Vieilleville ait pu faire un coup pareil, tu m'as envoyé promener. J'ai pensé qu'avec Kikou, comme vous étiez intimes et que, dans ce temps-là, il n'était pas encore question de Vieilleville, tu avais peut-être été plus loquace et je lui ai écrit pour la prier de me faire connaître exactement ce que tu aurais pu lui dire à ce sujet. Elle m'a répondu aussitôt et je me suis mis en campagne avec ma moto pour essayer de retrouver ce fameux témoin. J'ai eu du mal, tu peux croire. Enfin, j'y suis arrivé. Il a convenu sans peine qu'il avait pu confondre le conducteur et le passager. Tout ce dont il était sûr, c'était de la couleur des cheveux du conducteur. Par contre, il était persuadé que c'était le plus âgé des deux, ce qui était faux. Idiote, avant d'accuser Vieilleville, tu aurais bien pu réfléchir qu'il est noir comme un corbeau, tandis que Bouteyron, comme rouquin, il se pose un peu là...

J'ai sursauté à travers mes larmes :

— Roux, Bouteyron ?

— Comment ? Tu ne l'as pas vu ? Es-tu donc aveugle... ?

— Il venait juste d'être libéré. Chez les paras, on l'avait tondu de près. Il avait le crâne lisse comme un œuf. Ça le vexait assez. J'ai remarqué ses taches de son, c'est tout. Sinon, j'aurais peut-être fait le rapprochement. Les roux, je ne peux pas les voir depuis ce que m'a dit l'homme que tu as retrouvé. Tandis que ce nom de Vieilleville m'était parvenu aux oreilles bien qu'on ait fait l'impossible pour me tenir en dehors de tout, et je me le suis rappelé... Pense donc qu'il n'a pas protesté, pas prononcé un mot qui puisse me faire comprendre à quel point je me fourvoyais en le rendant responsable de la mort de maman !

— Ça t'excuse un peu, a convenu Guerrand à regret (manifestement, il avait du mal à me pardonner). Mais j'admirais déjà Vieilleville, maintenant, c'est de la vénération que je vais avoir pour lui. Ce qu'il a fait là, c'est formidable ! Tu dis que j'ai fait des progrès : j'en ferai davantage encore à présent, car j'aurai constamment un pareil modèle devant les yeux. Et cet imbécile de Bouteyron qui était capable de lui en vouloir après qu'il s'est sacrifié pour lui à ce point ! Et ça, à cause d'idées stupides qu'il s'était forgées ! Je crois qu'il a compris à présent. S'il en réchappe, il est capable de devenir quelqu'un de propre. J'y veillerai, je te jure. Je ne le laisserai pas dégringoler de nouveau.

Je crois avoir transcrit fidèlement ce que Guerrand m'a rapporté. Oh ! « ma conscience », ai-je donc enfin le droit de vous aimer... ?

19 juillet

Pourquoi un bonheur, immense, inespéré, bien vite ne vous suffit-il plus ? Pourquoi sans cesse réclamer davantage ? Quels êtres insatiables sommes-nous donc ? J'ai été heureuse à en mourir et, déjà, je ne le suis plus. Je voudrais voir Renaud de Vieilleville, implorer son pardon de n'avoir pas envisagé la possibilité qu'il se soit accusé pour couvrir le vrai coupable ; pardon d'avoir douté de lui... Mais comment interpréterait-il une pareille démarche ? Ne lui ai-je pas laissé comprendre que je l'aimais et ne s'est-il pas dérobé ? Il a arrêté les mots qui brûlaient mes lèvres, a feint d'attribuer à un emballement de gamine l'aveu plus explicite qu'il sentait venir.

Cela se passait, il est vrai, quand j'ignorais sa véritable identité. Il savait bien, lui, quel obstacle se dresserait entre nous le jour où je saurais son véritable nom, puisqu'il était résolu à couvrir jusqu'au bout ce Bouteyron de malheur... Il pressentait qu'alors je n'aurais pas assez de larmes pour regretter d'avoir avoué cet amour sacrilège. Une fois de plus, il a porté la générosité, la délicatesse à l'extrême ; mais cela ne lui a-t-il pas été relativement facile parce qu'il ne m'aimait pas ? N'a-t-il décliné que ce qu'il n'avait nulle envie d'accepter ? Ne m'a-t-il pas conseillé d'épouser Guerrand ?

Pourquoi m'aimerait-il d'ailleurs ? Je l'ai vu ému, pâli, mais mon propre bouleversement ne suffisait-il pas à expliquer son trouble ? Guerrand me dit qu'il a changé, qu'il paraît las, vieilli. Pourtant, il a encore trouvé la force d'accepter une nouvelle fois la charge d'un Gérard Bouteyron, peut-être enfin repentant, reconnaissant, mais dangereusement malade... Oh ! comment savoir ?

⁂

25 juillet

Davantage encore, je vis en recluse. En dehors de Guerrand et de Chrystel, je ne vois pratiquement personne. Tous deux me visitent assidûment. Guerrand se doute du nouveau visage qu'a pris mon tourment après quelques heures de folle joie. Papa et Suzy échangent, en m'examinant à la dérobée, des regards inquiets et je devine qu'une nouvelle fois, mais pour d'autres raisons, je les préoccupe. Qu'y puis-je ?

Je me consume, je ne mange plus, je maigris à vue d'œil. C'en est au point qu'hier, tout à coup, encore une fois, mes nerfs ont lâché. Nous étions seules,

Suzy et moi. J'étais absorbée dans ma tristesse, puis, tout à coup, en relevant la tête, j'ai vu ses yeux si tendrement posés sur moi et avec tant de compassion, que j'ai éclaté en sanglots. Elle m'a entourée de ses bras et m'y a bercée comme un enfant.

— Gégé, je sais si bien que tu as de la peine... Depuis longtemps... Oh ! ma chérie, si tu voulais te confier à moi — à ta marâtre — (cela, elle l'a dit pour m'obliger à sourire, mais cela n'a pas réussi). Gégé, j'ai été si heureuse que tu te rapproches un peu de moi... Alors, si tu permettais que je t'aide à porter ton chagrin...

J'ai fait « non » de la tête.

— Personne ne peut, ai-je balbutié.

— On dit cela. Ce n'est pas toujours vrai. En parler du moins, sentir qu'on le comprend, qu'on le partage, ce peut être un réconfort. Gégé, tu aimes quelqu'un, n'est-ce pas ?

Tout en continuant à pleurer, j'ai fait signe que oui.

— Et ce n'est pas ce pauvre Enguerrand de Coucy qui t'aime bien pourtant... ? Alors qui ? Un de tes camarades ? Non ?

Mes larmes m'empêchaient de parler.

— Et lui ? T'aime-t-il aussi ?

Les mots sont enfin sortis de ma gorge, comme si je les en arrachais.

— Il ne m'aime pas. Il m'a conseillé d'épouser Guerrand.

— Ce n'est peut-être pas une preuve, a-t-elle dit doucement.

— Il pensait qu'il n'en avait pas le droit, ai-je crié.

Suzy, il y a une méprise terrible. J'ai cru que c'était lui qui était en partie cause de l'accident qui a causé la mort de maman. Et ce n'était pas vrai, pas vrai ! Je l'ai su plus tard ! Il s'est accusé parce que l'autre, celui qui conduisait, n'avait pas son permis.

— Mais, alors, chérie, entre vous deux, tout est possible !

— Non, non, je te dis qu'il ne m'aime pas ! Sans cela, pourquoi voudrait-il que j'épouse Guerrand ? Et puis j'ai douté de lui, je n'aurais pas dû ! Oh ! Suzy, il est si merveilleux, si tu savais... Il m'a sauvée à Hong-Kong. Déjà, avant, il avait été auprès de moi comme un ange secourable... Maintenant, je ne le vois plus, il me manque à mourir. Suzy, je suis trop malheureuse...

— Peut-être est-il marié et s'est-il retiré à cause de cela. En ce cas, il faudrait être raisonnable, Gégé.

Marié, lui ? L'idée ne m'en était pas venue. J'ai crié :

— Non, non, je ne veux pas ! Pas ça ! Pas ça !

Et pourtant, si c'était vrai ?

Mes sanglots ont repris de plus belle tandis que Suzy s'efforçait de m'apaiser en me caressant le visage :

— Ce sera facile à savoir. Oh ! Gégé, je t'en prie, calme-toi.

Elle m'a fait étendre, m'a donné un sédatif. Si jamais on m'avait dit que je me laisserais soigner, dorloter par elle ! Je me suis assoupie. Au réveil, je me sentais un peu moins triste de m'être confiée. Mais l'idée qu'il est peut-être marié est une flèche de plus plantée en moi ! Pourquoi non, après tout ?

⁂

26 juillet

Il ne l'est pas ! Guerrand m'a ri au nez quand je le lui ai demandé timidement. Je lui avais téléphoné pour le prier de passer me voir car j'avais quelque chose d'important à lui dire. En fait, c'était juste pour lui poser cette question.

Chrystel est venue également. Elle a retrouvé un peu d'entrain à présent qu'elle est partiellement rassurée sur Gérard qui, paraît-il, va beaucoup mieux, mais elle s'attriste de ne pas le voir.

— Je ne peux pourtant pas aller chez M. de Vieilleville, Géraldine. Qu'en penserait-il ? Si ce n'était que je sais Gérard infiniment mieux soigné chez lui que dans un hôpital quelconque, je regretterais qu'il s'en soit chargé.

— Oh ! Chrystel, comment pouvez-vous dire cela ?

— Oui, je sais. C'est affreusement égoïste de ma part. Mais, à l'hôpital, les visites sont autorisées. Je le verrais ! Le temps me dure de lui, Géraldine. Et il a été si étrange avec moi les dernières semaines avant de tomber malade ! Je vous ai dit que j'en étais arrivée à douter qu'il m'ait jamais aimée. Si je ne le revois pas, comment saurai-je... ? Et attendre qu'il soit guéri, cela peut-être long, long... Cette incertitude m'épuise.

Je la comprends bien sûr. Sans que je le lui avoue, bien des sentiments nous sont communs. Je lui prêche une patience que je n'ai pas. Moi aussi, je me consume de ne pas revoir celui auquel je ne cesse de penser. Guerrand nous observe toutes deux. Il fait la liaison avec l'avenue Henri-Martin où se trouve l'appartement de Renaud de Vieilleville. Il a pris à la lettre son engagement de s'occuper de Gérard et lui réserve tous les instants de liberté qu'il ne me consacre pas. Son dévouement et son abnégation dépassent l'entendement. Mon Dieu, comme il a changé !

Son esprit doit être en continuelle cogitation à notre sujet. Nous étions donc ce soir réunis tous les trois dans mon petit salon puisque je l'avais fait venir pour savoir si oui ou non M. de Vieilleville était marié et que Chrystel nous avait rejoints. Voilà qu'il a eu une idée surprenante dont je suis encore toute bouleversée. Comme Chrystel ressassait pour la nième fois son désir de voir Gérard, il s'est tout à coup exclamé :

— Après tout, je ne vois vraiment pas pourquoi vous n'iriez pas vous-même prendre de ses nouvelles. Je suis certain que M. de Vieilleville n'en serait pas choqué. Il n'est pas si conventionnel que ça ! Probablement même n'y sera-t-il pas. La plupart du temps, il est à la rédaction de *France-Monde*. Gégé n'a qu'à vous accompagner si votre souci des convenances exige un chaperon... N'est-ce pas, Gégé, que tu veux bien faire la duègne ?

Je me suis recroquevillée dans ma bergère, les bras croisés sur ma poitrine pour réprimer un tressaillement d'allégresse en même temps qu'un immense émoi. Oh ! cette perche qui m'est offerte ! Aller chez Renaud de Vieilleville, même sans le rencontrer, mais voir dans quel cadre il vit, respirer le même air que lui !

— Naturellement, je veux bien, ai-je répondu sur un ton faussement détaché. A vrai dire, je ne sais pas si ce sera beaucoup plus correct, mais enfin...

— Vous deux, pour des filles d'à présent, vous êtes joliment à cheval sur les principes. Je ne te croyais pas si rétro, Gégé. Eh bien, puisque c'est d'accord, je vais annoncer votre visite à Bouteyron pour demain après-midi, vers cinq heures. Je viendrai vous chercher. Ainsi, nous serons quatre, ce qui sera très convenable.

J'en ai parlé à Suzy qui m'y a encouragée. Maintenant, dans la solitude de ma chambre, en tête à tête avec ce cahier, j'attends demain. Mon Dieu, que les heures sont lentes à s'égrener ! Je ne souhaite pas le voir après notre entrevue à Hong-Kong ; du moins, je ne le pense pas... Ne l'ai-je pas chassé alors que je lui devais tant et que le drame n'avait été que fortuit... ? Mon émotion m'a trahie. Maintenant, maintenant, je ne sais plus ce que je désire vraiment... Ou, alors, ce serait l'impossible...

⁂

27 juillet

« Demain » est enfin « aujourd'hui ». J'entends Guerrand et Chrystel. Ils arrivent ensemble avec un quart d'heure d'avance. Heureusement ! Je n'y tenais plus !

C'est un vieux valet de chambre qui nous a ouvert la porte avec une bouche fendue jusqu'aux oreilles dans un sourire de bienvenue :

— M. Gérard va être joliment content d'avoir des visites. Dame ! Il est seul la plupart du temps et, comme il est mieux, les heures lui paraissent longues. Monsieur est à son journal. Moi, j'ai à faire dans ma cuisine. Vous voudrez bien m'excuser. M. de Coucy connaît le chemin.

Il nous a abandonnés dans le vestibule. Guerrand m'a saisie par le bras et m'a chuchoté à l'oreille :

— On va les laisser s'expliquer tous les deux, Gérard et Chrystel. Je crois qu'il a des choses à lui dire. Moi, j'ai une course à faire dans le quartier pour mon patron. Tu t'installeras dans la salle de séjour. Je vais t'y conduire et tu y attendras que je vienne te chercher pour aller les rejoindre.

Il a donc guidé Chrystel vers la chambre de Gérard et m'a ensuite menée dans une salle de séjour où des meubles chinois incrustés d'ivoire supportaient des porcelaines certainement précieuses que j'ai entrevues dans une sorte de brouillard. Un divan cramoisi semé de dragons d'or m'a recueillie à temps car je vacillais légèrement. Du temps a passé. Pas beaucoup, je pense, je n'en ai pas la notion. J'ai entendu des portes s'ouvrir et puis, tout à coup, il a été devant moi, lui, Renaud !

— Chrystel voulait voir Gérard Bouteyron, ai-je bafouillé. Elle n'a pas osé venir seule. Alors, je l'ai accompagnée... Vous m'excuserez. Guerrand nous avait dit que vous seriez absent.

— Car vous ne teniez pas à me voir, n'est-ce pas ?

Il s'était penché vers moi. Ses yeux gris sondaient les miens.

— Si, oh ! si... Ne croyez pas...

— C'est pour moi une surprise heureuse, dit-il gravement.

Il me regardait toujours avec intensité.

— Vous avez une bien petite mine. Avez-vous été malade ?

J'aurais pu lui dire la même chose. Guerrand n'avait pas exagéré en me disant qu'il avait vieilli. Néanmoins, je le trouvais aussi beau que dans mon souvenir et, à le voir tout près de moi, plus que jamais mon cœur précipitait ses battements. J'ai essayé de sourire :

— Non. J'ai seulement passé par beaucoup d'émotions... J'ai appris...

Là, je n'ai plus pu me dominer. C'est presque en sanglotant que je me suis exclamée :

— Pourquoi, mais pourquoi avez-vous dit que c'était vous qui conduisiez... ? Ce Gérard, qui ne vaut pas cher, aurait peut-être eu quelques mois de prison. La belle affaire ! Un vaurien de cette espèce...

— ... Qui est en train de s'amender.

Il s'était assis près de moi, sur le divan aux dragons dorés.

— J'avais juré à sa mère mourante de veiller sur lui et j'étais, je suis encore résolu à tenir mon serment jusqu'au bout, quoi qu'il puisse m'en coûter. Dieu sait qu'il ne m'a pas facilité la chose ! C'est une nature difficile. De plus, il s'était figuré qu'une affection coupable m'avait uni à sa mère et que c'était la raison du divorce de celle-ci et de ma sollicitude pour lui. Or, c'est tout ce qu'il y a de plus faux ! Sa mère, une amie d'enfance, a été pour moi comme une sœur d'élection, une sœur de beaucoup mon aînée, que je chérissais profondément, mais rien de plus ; et c'était assez pour que je ne manque pas à ma promesse, quelles que soient les difficultés que sa conduite m'a suscitées.

— Car, en plus de l'accident, il a été mêlé à un trafic de drogue, n'est-ce pas ?

— Oui, hélas ! S'il avait eu le courage de m'avouer dans quelles mains il était tombé, je l'en aurais tiré. Mais, si j'avais des craintes, des doutes, des soupçons, étant donné ses fréquentations, je n'avais aucune certitude. J'avais beau le surveiller pendant mes séjours en France, malheureusement rares et brefs, il parvenait toujours à se dérober. Sa honte était aussi grande que son orgueil. Dans cette fameuse boîte le soir où je vous avais suivie car je surveillais vos sorties avec ces cavaliers scabreux, j'ai surpris son manège auprès d'Enguerrand de Coucy et j'ai eu l'intuition d'être enfin sur une piste qui me permettrait peut-être de le prendre sur le fait. Une fois de plus, il m'a échappé mais, du moins, j'ai eu la consolation de tomber à point pour sauver Coucy.

— Et à Hong-Kong, c'est bien lui que vous teniez à voir ?

— Naturellement ! Je savais que votre groupe était passé par le Népal et je craignais qu'on ne l'eût chargé de se réapprovisionner à Katmandou. Mais il m'a fui ! Il avait de ces réflexes d'animal qui mord la main qui s'efforce de le panser. Sans Chrystel Parme, sans Enguerrand de Coucy, peut-être ne l'aurais-je pas retrouvé à temps ; peut-être serait-il mort faute de soins. Je me le serais reproché toute ma vie. Mais maintenant, je le crois sauvé. J'ai pu enfin briser ses chaînes. La brigade des stupéfiants, aidée par les renseignements que j'ai pu lui fournir, a mis enfin la main sur la bande qui le tenait.

J'étais heureuse, certes, de ce qu'il m'apprenait, mais ce n'était pas de Gérard Bouteyron que j'aurais voulu entendre parler. Les sanglots, à demi refoulés qui m'étouffaient, avaient cessé mais je demeurais oppressée, palpitante, la gorge nouée d'angoisse :

— Mais moi ? ai-je murmuré péniblement ? Moi qui ne me droguais pas... Moi au sujet de qui vous n'aviez rien promis... ?

Il m'a enveloppée de son chaud regard bleu-ardoise dans lequel j'ai délicieusement l'impression de me dissoudre.

— Petite fille, je me suis senti une écrasante responsabilité envers vous du jour où j'ai su que ce maudit accident n'avait pas fait qu'une victime ; qu'il en avait fait en quelque sorte une seconde en privant une enfant de sa mère. Si je ne tenais pas le volant à ce moment précis, j'avais eu la faiblesse de céder aux instances de Gérard et de le lui abandonner. C'est le geste d'un instant qui vous a faite orpheline. Le remords ne me quittait pas une seconde, et j'ai cherché à racheter, Géraldine.

Un besoin de vouloir malgré tout l'excuser m'a fait dire :

— Je n'étais pas orpheline. J'avais mon père.

— Oui, mais j'ai su votre incompréhension mutuelle ; j'ai deviné les heurts et les risques qui devaient fatalement en découler, étant donné votre nature ardente. Au cours des deux premières années qui ont suivi le drame, mon métier de reporter ne m'a permis de faire en France que de brefs passages pendant lesquels, pourtant, à chaque fois, par l'intermédiaire d'amis dévoués et discrets, je me suis enquis de vous. Ce qu'on m'en rapportait me désolait. J'espérais que le temps calmerait votre détresse, diminuerait la mésentente entre votre père et vous. J'ai vu qu'il n'en était rien, au contraire ! C'est pourquoi, au cours de mon dernier séjour, j'ai tenté de vous approcher.

— Vous m'avez prise en filature...

— Presque... En même temps que Gérard ! Oh ! à vous deux, vous m'avez occupé !

J'ai esquissé timidement un sourire.

— Et vous êtes devenu « ma conscience ».

— A présent, vous n'avez plus besoin que je la sois : vous avez retrouvé la vôtre... N'épouserez-vous pas ce pauvre Enguerrand qui le désire tant ?

— Je l'aime comme un frère. Comme vous aimiez la mère de Gérard. Je n'ai pas changé. Je ne changerai jamais. Je pense exactement ce que je pensais à Hong-Kong, ce que je vous ai dit après que vous m'avez sauvée...

Je me suis interrompue. Il me restait à dire le plus difficile.

— Mais quand vous m'avez conseillé de l'épouser, j'ai compris que vous ne m'aimiez pas. Je l'avais cru un moment... Et puis, ces jours-ci, l'idée que vous étiez peut-être marié m'a été suggérée...

— Moi, marié... ? Jamais de la vie, voyons !

— Oui, Guerrand m'a détrompée. Mais je n'en savais

pas moins que vous ne vouliez pas de moi... Ça a été dur, si dur... Ça l'est toujours.

Il s'est rapproché de moi et m'a pris les mains.

— Géraldine... Aldine...

« Aldine ! ». Maman m'appelait ainsi. Elle ne m'a jamais nommée Gégé, ce diminutif que j'ai toujours détesté. Il m'a semblé qu'elle venait à mon secours ; qu'elle était là, présente, devinant ce qu'il allait dire et s'en réjouissant.

— Aldine, ce que j'ai cru faire pour racheter une minute de faiblesse et calmer mes remords, un temps est vite arrivé où je l'ai fait sans plus penser à rien d'autre... qu'à vous et à moi... Aldine, petite fille chérie, savez-vous que j'ai beaucoup souffert à cause de vous ?

Maintenant, il m'embrassait dans les cheveux.

— Peut-être vous ai-je sauvée de vous-même, mais ça a été pour me perdre en vous. Si j'ai été passagèrement « votre conscience », vous, vous êtes devenue pour toujours le cœur de mon cœur. Lorsque vous m'avez permis de comprendre que je ne vous étais pas indifférent, il m'a fallu rassembler toute ma volonté, toute mon énergie, pour me taire et demeurer impassible en apparence, alors que j'étais ravagé du désir de vous avouer mon amour en vous saisissant dans mes bras pour vous y garder prisonnière.

Ses lèvres parcouraient mon visage extasié et cherchaient les miennes.

— Depuis, j'ai enduré un martyre que je croyais ne devoir jamais se terminer, et dont je commence seulement d'espérer la fin. Chère petite adorée, ces rides, c'est à cause de vous qu'elles se sont creusées...

— Je les effacerai, dis-je passionnément.

— Croyez-vous que votre père me recevra si je l'en prie, malgré les raisons qu'il aurait de ne pas souhaiter me voir ?

— Oh ! oui, ai-je répondu avec ardeur. Je me suis enfin rapprochée de Suzy. J'ai été odieusement injuste envers elle, alors qu'elle est toute indulgence et bonté. Elle sera mon alliée. Je lui dirai de parler pour moi.

— Pour nous ! rectifia-t-il avec une indicible tendresse.

⁂

Je ne sais pas comment nous sommes rentrés tous les trois. A peine ai-je vu que Chrystel avait pleuré ! Me le suis-je seulement reproché ? Dans mon cœur, une immense aurore s'était levée, couvrant, de son rideau éblouissant, tout ce qui n'était pas mon amour.

⁂

29 juillet

Nous sommes fiancés, Renaud et moi. J'en ai fini de tenir ce journal. Je n'aurai plus rien à y écrire. Nous nous aimons et je ne saurais plus qu'y conjuguer le présent de ce verbe. Autant qu'on puisse être sûre d'une chose, je suis certaine de ne jamais le conjuguer au passé.

⁂

TRAITRE EST L'AMOUR

Un jour de janvier

Il restait à mon cahier un bas de page et je le remplis. Gérard Bouteyron, complètement guéri au moral et au physique, vient de s'enrôler à « Terre des Hommes » et va incessamment partir pour le Bangla-Desh. C'est de cette intention qu'il avait fait part à Chrystel lorsqu'elle est allée avec nous le voir chez Renaud, en lui demandant pardon de lui avoir laissé croire qu'il l'aimait ; et c'est la raison pour laquelle elle était si triste lorsqu'elle est revenue avec Guerrand et moi. Elle ne l'est plus, car elle est maintenant fiancée à Guerrand.

Je crois qu'ils seront aussi heureux que nous.

du même auteur

à la Librairie Jules TALLANDIER
17, rue Remy-Dumoncel - Paris 14e

Jenny du tonnerre
L'aigle sur la Sierra
Ma vie entre vos mains
Seul l'amour la guida
Un royaume et un cœur
Pièges pour Guénolé

ACHEVÉ D'IMPRIMER
LE 8 JANVIER 1976
SUR LES PRESSES
DE L'IMPRIMERIE JOUVE
A PARIS

DÉPÔT LÉGAL : 1er TRIMESTRE 1976
N° D'ÉDITEUR : 135. — N° D'IMPRIMEUR : 4048